CULTURAS BASICAS DEL MUNDO

LOS MAYAS

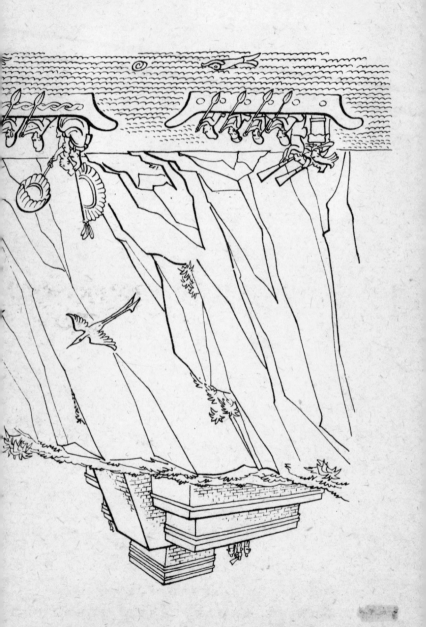

LOS MAYAS
LA TIERRA DEL FAISAN Y DEL VENADO

por VICTOR W. VON HAGEN

ILUSTRACIONES DE ALBERTO BELTRAN

JOAQUIN MORTIZ . MEXICO

Primera edición en español, enero de 1966
Decimoprimera reimpresión, abril de 1981
D.R. © 1966, Editorial Joaquín Mortiz, S.A.
Tabasco 106, México 7, D.F.

Título original: *Maya, Land of the Turkey and the Deer*
Publicado por The World Publishing Co.,
Cleveland, Ohio, EE. UU.
© 1960, Victor W. Von Hagen
Traducción de Carlos Villegas
ISBN 968-27-0011-6

INDICE GENERAL

ع

LOS INICIOS

La civilización maya se extiende desde aproximadamente el
año 2000 a. c. hasta 1697 d. c.

Para cualquier pueblo o cultura, el haber existido en un
mismo lugar durante casi cuatro mil años constituye un
periodo histórico muy largo. Pocos pueblos lo han logrado.
Y el caso de los mayas es tanto más notable toda vez que
evolucionaron desde un pueblo muy primitivo, prehistórico.
Se originaron entre las tribus nómadas que vinieron de Asia
hace más de veinticinco mil años cruzando por el Estrecho
de Behring —que entonces constituía un puente de tierra
seca— hasta América del Norte. Estos nómadas fueron los
primeros habitantes del Nuevo Mundo. Después, debido a
cambios que se operaron en la superficie de la tierra, el
puente de tierra se hundió, dejando sólo las cumbres de las
montañas —que ahora son islas— como señal de su ubica-
ción original. La gente que cruzó el Estrecho de Behring
nunca regresó a las tierras de donde provenía.

Los nómadas eran cazadores y probablemente seguían a
los animales cuando éstos cruzaban el puente de tierra. En
este Nuevo Mundo continuaron viviendo de la caza de
animales y poco a poco se diseminaron sobre el territorio.
Cuando no cazaban o pescaban, se alimentaban de las plantas nativas silvestres y recolectaban raíces y granos. Con el
transcurso del tiempo se convirtieron en agricultores y cultivaron maíz, patatas, maní, calabaza y tomate, por selec-
ción de las plantas silvestres. Estas plantas se convirtieron
en la base alimenticia de su sociedad.

Hacia el año 2000 a. c. un grupo de estos nuevos "americanos" llegó a la región donde ahora están situadas Guatemala, Chiapas y Yucatán. La colonizaron y vivieron ahí desde la fecha mencionada hasta el año 1697 d. c., cuando los últimos representantes de la antigua cultura maya, los itzaes, fueron eliminados por los soldados españoles. En el prolongado intervalo que se extiende entre ambas fechas, los mayas llenaron las selvas y la planicie de la región con sus ciudades construidas de piedra.

Con el transcurso del tiempo llegaron a dominar a la naturaleza. Construyeron elevadas pirámides que se erguían por encima de los más altos árboles de la selva; una de ellas, ubicada en la gran ciudad maya de Tikal, tiene cerca de setenta metros de alto. Cortaban los árboles, abrían anchos senderos y construían caminos con cimiento de piedra que se extendían por todas direcciones. Gracias a ellos pudieron mantenerse en contacto las distintas ciudades mayas. Inventaron un sistema de escritura y elaboraron un calendario complicado. Formaron una sociedad de clanes que se basaba en la tradición.

En ninguna otra parte de América lograron la arquitectura, la pintura y el tejido un desarrollo tan maravilloso. Sin embargo, los mayas no tenían animales de carga; ellos mismos la transportaban. Como no tenían la idea de la rueda, tenían que transportarlo todo sobre sus espaldas. Sólo al final de su cultura tuvieron metal, y aún entonces únicamente usaron el oro y el cobre blando. Por lo tanto, tenían que servirse de la piedra. Tumbaban los altos árboles con hachas de piedra; trabajaban la roca con martillos de roca, y los cinceles de piedra cortaban la piedra. Valiéndose sólo de instrumentos de piedra hicieron esculturas tan delicadas como las que tallaron otros pueblos utilizando herramientas de metal duro.

A esos obstáculos se enfrentaron, y a pesar de ellos se labraron en las selvas un lugar en el recuerdo humano, al construir ciudades que, todavía hoy, son motivo de asombro.

En una época de su historia —hacia el año 800 d. c.— llegó a haber más de 3 millones de mayas. Sus hogares estaban por todas partes: en las montañas, en las selvas húmedas y en las altas riberas de los ríos de lecho profundo. Des-

pués fueron destruidos. Sus ciudades —y eran muchas— se concentraron en las planicies bajas de Yucatán.

Por la época en que comienza nuestra historia, los mayas ya habían estado viviendo en su propia tierra durante tres mil quinientos años.

En el calendario de los mayas era 2 Ahau 8 Mac, pero en el de los españoles es febrero de 1515.

En la semioscuridad del canal que separa a Yucatán de la Isla de Cozumel boga una pequeña flota de canoas...

LA DIOSA DE LA LUNA

Los furiosas olas, llevadas por la corriente y por el viento, se estrellaban en las bandas de la canoa principal y llegaban al hombre que iba sentado en la proa, humedeciendo su tocado de plumas de guacamaya y salpicando la pintura de su cuerpo, de color rojo y negro. Pero los rasgos de su cara orgullosa no se alteraban. Mantenía los ojos fijos en la distante costa de Yucatán y su silencio contrastaba con el sacerdote que iba atrás en cuclillas. Conforme la gran canoa se hundía en las aguas, el sacerdote entonaba ruidosas plegarias a los dioses del agua.

La túnica del sacerdote era de tela blanca, y había sido fabricada de corteza de árbol martillada; estaba desprovista de todo adorno con excepción de una pequeña hilera de conchas marinas que estaban cosidas hacia el borde de abajo. Los lóbulos de sus orejas habían sido horadados y agrandados, y en ellos llevaba grandes pendientes en forma de ovillo. Su largo pelo negro estaba untado con la sangre de las víctimas de los sacrificios.

A ambos lados de la canoa de dieciocho metros de largo había filas de remeros —dieciséis de cada lado— que remaban rítmicamente. Iban sentados, las rodillas dobladas como si oraran. Iban desnudos, pues sólo usaban una tira ancha de algodón tejido que se enrollaba alrededor de su cintura y cuyo sobrante recogían entre las piernas. Se llamaba *ex,* y todos los hombres mayas lo usaban. El pelo, que por lo general se usaba largo y trenzado, ahora iba enrollado en la parte superior de la cabeza, para que no estorbara. Su único adorno era un pequeño espejo de obsidiana negra, la cual tenía su origen, como todos los mayas sabían, en las erupciones volcánicas. Todos los hombres mayas llevaban tal espejo atado a sus trenzas con una cuerda, ya que cuando no tenían nada que hacer, se contemplaban en él. Se sacaban el pelo de la cara, que les disgustaba; o bien se observaban mientras se aplicaban la pintura. Ahora no había tiempo de contemplarse en los espejos. Entre las filas de remeros iban amontonados los pasajeros, empapados por las salpicaduras del mar. Las altas olas, al chocar contra las bandas de la canoa casi la sacaban del mar. El agua entraba por encima de las altas bordas, iba hacia atrás y hacia adelante dentro del bote con cada movimiento de las olas. Los pasajeros estaban terriblemente asustados. Algunos cantaban con el sacerdote cuando éste pedía a los dioses del agua que aplacaran su furia y dejaran que la gente regresara salva a Tulum, donde vivían.

Aun cuando el mar estaba picado, los viajeros iban alerta, por si se presentaba un ataque. En el fondo de otras canoas iban guerreros en cuclillas, que asían firmemente largas lanzas. Los indios caribes, que vivían en las islas del Mar Caribe, eran feroces, y se decía que se comían a sus prisioneros; navegaban en sus canoas por todos los rincones del océano.

El viaje de ida y vuelta a la isla de Cozumel, que está situada en el Caribe, en mar abierto, nunca fue fácil. Nadie podía predecir cuándo estaría el mar como estaba ahora, salvaje y furioso, ni cuándo aparecerían los caribes. Pero por lo menos una vez en su vida cada maya tenía que ir a los santuarios sagrados de Cozumel, donde los sacerdotes mayas atendían a los oráculos. Porque Cozumel era el hogar de Ixchel, la diosa de la Luna, que era muy poderosa. Cuando las mujeres querían tener niños iban a la isla a rezar a sus santuarios, porque ella era la diosa de los

11

nacimientos. Ella cuidaba a las madres y a sus hijos, y también era la diosa de los tejidos y de la medicina.

—¡Achica, Ah Tok, achica!

Era el capitán, en la proa de la canoa, el que había hablado. El chico, que había permanecido acurrucado a los pies de su madre, instantáneamente recogió la media calabaza y comenzó a sacar el agua de la canoa. Tan pronto como sacaba el agua, otras olas brincaban por encima de las bordas, pero él no interrumpió su faena. Como todos los muchachos mayas, Ah Tok llevaba un *ex* y sandalias de cuero de venado. Su pelo, que apenas comenzaba a aparecer largo, estaba echado hacia atrás, dejando ver su característica frente aplanada. Porque todos los mayas de buena familia tenían las cabezas aplanadas. Cuando Ah Tok era tan pequeño que iba atado en su cuna, su madre le puso la cabeza entre dos tablas firmemente atadas. Como el cráneo de los niños es suave, la frente podía aplanarse en unos cuantos meses. Nadie sabía la razón de que se hiciera esto, sólo se sabía que era una costumbre. Algunos decían que, como los mayas transportaban su carga sobre la espalda y detenida con una cuerda que se apoyaba en la frente, cuando ésta estaba aplanada la labor del transporte era más fácil. El abuelo de Ah Tok, que cuando había fiesta ostentaba en su frente huidiza un espléndido tocado de plumas, decía: —Nos aplanamos la cabeza porque nos da noble apariencia.

A medida que Ah Tok achicaba con la media calabaza, volteaba la cabeza hacia atrás para mirar la silueta oscura de Cozumel. Ésta había sido su primera visita al famoso santuario. Además, sólo tenía trece años, y no se esperaba que los chicos de su edad hicieran esa peregrinación. Miró a su madre, que se conservaba erguida y sin temor, sosteniendo firmemente a su hermano, al cual había envuelto en una manta de algodón tejido. Debido a la enfermedad de su hijo ella había ido a Cozumel a pedir a Ixchel que le devolviera la salud al chico.

De una de las canoas brotó un grito. Se avistaban las luces de Tulum. Se habían colocado antorchas de resina de pino sobre los muros, en espera de la llegada de los peregrinos. La diosa de la Luna los había protegido. Por esa razón Ah Tok había quemado bolitas de resina de copal ante su santuario. Y también por ello su tío se había perforado la lengua con un cuchillo de obsidiana y vertido algunas gotas de la sangre sobre un trozo de tela. En eso habían consistido sus ofrendas.

La diosa de la Luna era apenas una entre sus muchos dioses. Ah Tok recordaba sus nombres con mayor facilidad que otros chicos de su edad porque su padre era un *tupil*, es decir, un funcionario de Tulum. Y su abuelo tenía a su cargo los libros sagrados, de manera que Ah Tok recibía más enseñanzas que los otros. Los cielos estaban divididos en trece sectores, y dentro de cada uno de ellos residía un dios diferente. Había cuatro dioses que sostenían los cielos,

13

y para ayudarlos de cada lado había un árbol de algodón-seda. (Había muchos árboles de algodón-seda en el territorio maya. Cada año, cuando se abrían las vainas, todos los chicos iban a recoger el *kapok* —las fibras sedosas que había alrededor de las semillas del árbol— que servía para rellenar almohadas y colchones.)

Según le había dicho su padre a Ah Tok, el mundo se apoyaba en la espalda de un gran lagarto. Y debía ser cierto, porque a veces temblaba la tierra, y esto probablemente se debía a que el lagarto se movía.

Había dioses del cielo, dioses de la tierra y dioses del agua. Cada profesión —cazador, guerrero, salinero— tenía su dios propio. Los que poseían colmenas también tenían su propia diosa. Cuando llegaba el tiempo de rendirle culto, los colmeneros elaboraban una bebida fermentada hecha principalmente con miel, la cual bebían durante el festival. Los comerciantes tenían su dios, y asimismo los guerreros...

Pero la diosa más importante para los que vivían en la orilla del mar era la diosa de la Luna, quien también regulaba el mar y tenía a su cuidado las mareas. Ah Tok la llamaba "Nuestra Madre". Pero su abuelo, que podía leer la antigua escritura de los mayas, la llamaba "Nuestra Abuela".

Cuando un maya sembraba, tenía que pronunciar en voz alta los nombres de los dioses de la tierra. Cuando el maíz se depositaba en el suelo se rezaba una plegaria: "Oh Dios. Te presento mi ofrenda. Estoy sembrando aquí mi campo de maíz. Cuídamelo, guárdamelo; que no le suceda nada desde que lo siembro hasta que lo coseche..." Y había otros

muchos dioses. Era una cosa buena que los sacerdotes los conocieran a todos y pudieran consultar sus libros pintados. Porque, ¿cómo podían los indios ignorantes saber...?

Ahora ya podían verse los muros de la ciudad de Tulum. Los guardias, sosteniendo antorchas que brillaban en la noche, corrieron hacia el pequeño muelle.

La ciudad se erguía en un alto risco de piedra caliza, treinta metros sobre el rugido del océano. Las olas se revolvían sobre sí mismas y se estrellaban con furia contra los muros naturales o artificiales que protegían a la ciudad. La única entrada a Tulum era una pequeña bahía. Cuando las canoas estuvieron en posición, fueron enviadas hacia adelante por las olas. Tan pronto como llegaban y tocaban el fondo arenoso de la playa, los guerreros se bajaban con presteza para empujarlas a lugar seguro.

Ah Tok, con todos los demás, había llegado sano y salvo a su hogar.

TULUM, LA CIUDAD AMURALLADA

Tulum, a pesar de su aspecto moderno, era una ciudad muy antigua. Los muros del templo siempre estaban recién pintados de azul y blanco. Los murales que tenía —que representaban a los dioses mayas en conversación, eran repasados cada año a fin de que aparecieran siempre nuevos. En el centro de la ciudad se erguían varios antiguos marcadores de tiempo, cada uno de ellos más alto que un hombre y grabados en un solo bloque de piedra. Uno de los marcadores tenía la figura de un capitán, con un enorme tocado de plumas; debajo de él había hileras de símbolos de escritura maya que decían: "Éste fue levantado en 8 Ahau 13 Ceh."

El abuelo de Ah Tok le explicó el significado del marcador al muchacho. La fecha "8 Ahau 13 Ceh" (433 d. c.) indicaba que Tulum tenía ahora más de mil años. En otras épocas se había llamado Zama, o sea la Ciudad de la Aurora. Se le había dado ese nombre porque, como cualquiera podía ver, el Gran Templo —que proyectaba su parte posterior rumbo al mar— recibía el primer resplandor de la aurora. Posteriormente, cuando se amuralló la ciudad, como estaba ahora, la gente comenzó a llamarla Tulum, que significaba eso precisamente. Por supuesto, había otras ciudades mayas más antiguas, hacia el interior del país, entre las selvas. Pero éstas eran ahora apenas ciudades sombrías que sólo visitaban los sacerdotes. La selva había crecido sobre ellas.

Tulum, aunque pequeña, era importante. Había otras muchas ciudades a lo largo de la costa, tanto al sur como al norte de ella. Todas estaban comunicadas por un ancho camino de piedra llamado *sacbé*. En Tulum solamente vivía la gente importante. Dentro de sus muros no había mucho más de cincuenta edificios. Otros mayas, que se dedicaban a la agricultura o a la pesca, vivían diseminados por todo el territorio.

La muralla que rodeaba a la ciudad de Tulum era uno de los más antiguos recuerdos de Ah Tok. ¡Cuántas veces él y sus amigos habían caminado a lo largo de su trazo y jugado sobre ella! Tenía más de 1 000 metros de largo, se iniciaba donde los riscos se reunían con el mar y continuaba alrededor de la ciudad, formando un ángulo recto con el borde del otro risco. En algunos lugares era sumamente ancha, pues llegaba a tener hasta seis metros. Los chicos podían saltar a través de las partes abiertas en ella, que constituían las puertas de la ciudad. Había cinco de esas puertas. Una daba al oeste, en dirección de grandes ciudades, como Chichén Itzá y Uxmal. Otras dos se abrían hacia el sur, conduciendo al camino que iba hacia la gran bahía de Zamabac, en la provincia maya de Chetumal, famosa por su miel y por sus canoas gigantescas. Otra se abría frente a la costa que daba acceso al mar, y la última daba frente a la selva. Todos esos pasajes eran tan estrechos que sólo podía pasar a través de ellos un hombre a la vez. Esto los hacía fáciles de defender.

Difícilmente transcurría un día sin que una expedición entrara a Tulum a través de una de esas puertas. Cuando los guardias avistaban la larga línea de cargadores que se acercaban, tocaban sus tambores, y casi instantáneamente se llenaban los muros de guerreros lanza en mano. Si los visitantes eran amigos, las puertas se abrían, y uno por

17

uno los cargadores esclavos entraban a la ciudad y se encaminaban hacia la pequeña playa.

Los esclavos que participaban en estas expediciones comerciales usaban el pelo muy corto, y no llevaban pinturas ni emblemas de ninguna especie. Eran, o bien indios que habían sido capturados en el desarrollo de alguna batalla, o bien mayas que habían perdido sus derechos por haber cometido algún crimen contra su clan. La carga se ataba a la espalda del esclavo por medio de una cuerda que pasaba por su frente. Un hombre adulto podía llevar por lo menos cuarenta kilos durante todo el día, y hasta un muchacho como Ah Tok podía llevar doce kilos. Lo había hecho con frecuencia mientras ayudaba a su padre a levantar la cosecha de maíz.

Las expediciones comerciales eran encabezadas por los *ploms*, los comerciantes que también eran llamados "los acaudalados", porque poseían muchas cosas consideradas como artículos de lujo. Por lo general eran más gruesos que la mayoría de los mayas, no sólo debido a que no trabajaban en los campos, sino también porque —como los capitanes— con frecuencia eran transportados en literas a lo largo de los amplios caminos. En Tulum vivían en casas alineadas a los lados de la del gobernador de la ciudad.

Como estaba tan bien protegida, Tulum era un lugar seguro para almacenar cargas. Allí se comerciaba con toda clase de cosas: rollos de tela de algodón tejido o manta; cerámica envuelta en esteras de paja; miel en botes; sal, que era transportada en pesados sacos hechos con fibra de

19

henequén. Además, había plumas y jade, conchas y topacio, que los comerciantes reunían en grandes cantidades. Cuando todo estuvo seguro dentro de la muralla, una flotilla de canoas vino desde Chetumal. Una vez cargadas, salieron con rumbo a lugares desconocidos para los mayas ordinarios. Meses después regresarían cargadas de oro, perlas y otros tesoros de las tierras situadas al sur.

En el centro de Tulum estaban los templos. El más grande e importante de ellos, el Gran Templo, estaba rodeado por un patio. Frente a este patio estaban las casas donde vivían los sacerdotes. El *batab*, que era el gobernador de la ciudad, también vivía en esta zona. Un poco más allá del templo principal había otros templos más pequeños. El templo del Dios que se Hunde (así llamado porque parecía sumergirse en la tierra) estaba pintado de azul. Alrededor de este templo estaban las casas de otros funcionarios. Una de las casas más grandes, pintada de rojo y negro, pertenecía al *nacom*, o capitán de la guerra. Cada dos años los jefes de los clanes, una unión de familias, se reunían

para elegir al más valiente de entre ellos para que fungiese como capitán de la guerra. Lo trataban casi como si fuese un dios; lo vestían con una manta hermosamente tejida y lo transportaban en una litera. Cuando pasaba por allí, Ah Tok saludaba al *nacom* haciendo una reverencia ante él y tocando el suelo con los brazos extendidos, y después poniendo algo del polvo del suelo en su frente, mientras se erguía de nuevo. Era la costumbre que había aprendido de sus mayores.

Las casas de otros funcionarios, considerados como "de menor categoría", estaban también cerca de este templo. Una de ellas era la casa del *holpop*, o juez. Los mayas se sentaban en esteras tejidas, y *holpop* significaba "el que se sienta en la cabeza de la estera". También tenía a su cargo los tambores sagrados y otros instrumentos musicales.

El más bajo en la escala de los funcionarios era un *tupil*, el que cuidaba de que las órdenes del gobernador se ejecutasen. Todas estas personas vivían en el centro de la ciudad. Más allá estaban las casas de los indios comunes.

21

Todas las ciudades mayas (y había incalculables centenares de ellas) fueron construidas del mismo modo. En el centro de la ciudad había una gran plaza frente a la cual se erguía el templo principal. A su alrededor estaban situadas las casas de los sacerdotes y de los nobles. Unos cuantos mayas ordinarios vivían también dentro de Tulum, pero la mayoría vivía fuera de la ciudad. Había una razón para esto, y esa razón era la falta de agua.

Aunque en Yucatán llueve mucho, no existen ríos. Cuando llueve, el agua se pierde rápidamente en el suelo delgado, abriéndose camino a través de la porosa roca caliza para formar ríos subterráneos. Ah Tok encontraba con frecuencia conchas fósiles de animales marinos en las rocas situadas cerca de Tulum, porque la caliza se forma con las conchas de moluscos tales como ostras, tritones y caracoles, que en el transcurso de millones y millones de años se han reunido en el fondo del océano. En algún momento, en los eones transcurridos, se había registrado una conmoción de esta materia caliza comprimida, que desde el fondo del mar, donde yacía, surgió hasta la superficie misma del agua y vino a ser suelo, que a su vez fue cubierto con una capa delgada de tierra. Como la roca caliza es suave, el suelo se hundió en diversos lugares, y hasta ellos se abrió paso, burbujeando, el agua de los ríos subterráneos, con lo que se vinieron a formar unos pozos naturales. Éstos eran los cenotes, la única fuente de agua, alrededor de los cuales los mayas construyeron sus ciudades.

Tulum sólo tenía un cenote, y por esta razón nunca creció hasta convertirse en una ciudad más grande. El pozo estaba cerca del embarcadero de Tulum, precisamente en la puerta, y lo rodeaba un templo, llamado Casa del Cenote. Todas las tardes acudían las mujeres a este depósito subterráneo de agua para sacar la que necesitaban. Uno de los más antiguos recuerdos de Ah Tok era el haber ido a este pozo con su madre, que equilibraba un gran jarro de agua sobre su cabeza al mismo tiempo que lo llevaba a él sobre las caderas. Al estilo de todas las mujeres mayas, su madre siempre iba descalza y llevaba un *kub*, un vestido semejante a una camisa hecho de una sola pieza de tela, hermosamente tejido y dotado de aberturas destinadas a la cabeza y a los brazos. Todas las mujeres mayas tenían los lóbulos de las orejas perforados a fin de poder llevar aretes; estos aretes eran de jade o de oro. Pero lo que verdaderamente constituía motivo de orgullo para ellas era el pelo. Lo peinaban en trenzas que se decoraban con cintas de colores vivos y se depositaban en la parte superior de la cabeza. El agua del cenote de Tulum estaba nueve metros bajo la superficie, y las mujeres tenían que servirse de escalones de piedra para llegar hasta ella. Mientras llenaban sus jarros conservaban y cambiaban impresiones y los chicos chapoteaban en el agua dulce y fresca.

Sin embargo, los mayas sólo en raras ocasiones bebían el agua pura. Preferían tomarla mezclada con maíz molido, lo cual le daba un color blanco lechoso; así preparada se le llamaba *posol*.

Aunque la casa de Ah Tok, la *Na*, era de construcción simple, era, a su manera, muy hermosa. Su estilo era muy antiguo. Parece que los mayas ordinarios siempre construyeron sus casas con adobe y cañas trabajadas en la misma forma.

Cuando había que construir una casa, ayudaban en la faena los diversos miembros del clan. Primero construían una plataforma hecha de piedra y adobe. Después, sobre dicha plataforma se colocaban verticales grandes troncos de árbol. Una *Na* se construía de tal manera que en ambos extremos era redondeada, y en el centro había un solo hueco destinado a la puerta, "la boca de la casa". La viga principal que atravesaba por la mitad del techo era llamada "la pierna de la casa"; y después de que habían sido puestos en su lugar los jabalcones, recibía el nombre de "camino de la rata", porque las ratas anidaban en el techo de hojas de palma y se servían de ella como principal camino de acceso a su morada.

Como estructura destinada a contener el adobe, se colocaban cañas o varas largas, firmes pero flexibles, que los constructores entretejían en el cuerpo de la casa como si hicieran una canasta.

El adobe se hacía de la siguiente manera: se llenaba un

pozo con una mezcla formada por lodo y agua, y se le dejaba en reposo durante unos días, para que "fermentara". Después la amasaban; los chicos de la familia en realidad saltaban y jugaban dentro de la mezcla, batiendo el lodo gris hasta que sus cuerpos quedaban cubiertos por él. Después de ser trabajado en esta forma se convertía en adobe. Los hombres lo recogían a puñados y lo arrojaban contra la estructura hasta que toda la casa, así por dentro como por fuera, quedaba cubierta con una plasta gruesa de adobe. Después el techo de declive pronunciado se hacía con hojas de palma. Como las casas constituían objetos de gran orgullo para los mayas, las pintaban de colores brillantes: rojo, naranja, amarillo o azul. Los mayas no utilizaban puertas; no las tenían ni siquiera las grandes casas de los nobles. Sin embargo, nadie entraba en la casa ajena sin permiso del dueño. Nunca se hacía. Algunos mayas colgaban una especie de tapiz tejido en el hueco destinado a la puerta. La casa de Ah Tok, como otras, sólo ostentaba un cordel al cual había atadas varias campanillas de cobre, destinadas a llamar la atención.

Una casa maya se dividía en dos secciones. En una de ellas estaba la cocina. Como la madre maya era su propio panadero, tenía que hacer las tortillas de maíz, sin sal y sin levadura, que tan populares son en todo México y en Yucatán. Ante todo ponía a hervir maíz en agua de cal con objeto de suavizar el grano. Después lo lavaba y lo molía en un metate, hasta convertirlo en masa. El mortero o metate estaba cerca del fogón donde se colocaban piedras para sostener sobre el fuego las vasijas. Encima del fogón estaba el comal, especie de tapa del fogón donde se cocían las tortillas. Los utensilios de la cocina colgaban de las paredes.

En una esquina, en un nicho practicado en la pared, era colocado un ídolo de barro que representaba a la diosa de la Luna, Ixchel, que también era la diosa del tejido. Bajo ese nicho había un tarugo de pared al cual estaba atado uno de los extremos de un telar. Por la noche, o en el transcurso del día, cuando no había otra cosa que hacer, las mujeres tejían telas de algodón, porque ellas eran las encargadas de hacer todo el tejido. Se hacía éste en un telar de correa a la espalda, llamado así porque la tejedora podía poner en tensión la urdimbre estirando el telar por medio de una correa que le pasaba por la espalda.

La segunda sección de la casa contenía los dormitorios. Las camas se formaban con pencas de palma atadas y colocadas sobre cuatro horquetas de árbol enterradas en el suelo. Otras gentes del sur utilizaban hamacas, pero los mayas preferían las camas. De las paredes colgaban ropas, tocados y armas. Una canasta finamente tejida contenía sus pertenencias más preciosas: ropas de fiesta, jade, turquesas y tocados de pluma, si los tenían.

De tarugos de madera colgaban lanzas, arcos, flechas y escudos de madera. Todos los mayas que estuvieran físicamente capacitados eran guerreros; en realidad, eran al mismo tiempo guerreros y agricultores. Cuando estaban en guerra, dejaban lo que estuvieran haciendo, recogían la lanza y el escudo y salían para el campo de batalla. Ah Tok era demasiado joven para todo esto, desde luego, pero empleaba todos sus ratos libres en aprender a arrojar la lanza y a disparar la flecha valiéndose del arco.

Pero ahora, en febrero, no había tiempo para jugar. Marzo era el mes del tributo y toda la casa estaba atareada trabajando en las cosas que tenía que entregar a título de tributo. Cada seis meses todos los que estaban bajo el gobierno de Tulum tenían que pagar sus impuestos. No podían pagarlos en dinero pues no lo conocían, pero con frecuencia se valían de almendras de cacao, de las cuales se hace el chocolate, como si fuera dinero. El chocolate era una pasión maya. Las almendras de cacao, de mayor tamaño que los cacahuates, crecían en árboles de gruesos troncos en la zona caliente y húmeda, a lo largo de las riberas de los ríos. Era un gran acontecimiento en la vida de Ah Tok y de sus hermanos cuando se les permitía tomar chocolate. Su madre tostaba la almendra, la molía hasta convertirla en polvo y a esto le agregaba agua caliente, miel y vainilla. Como el chocolate les gustaba a todos los mayas, tomó el lugar del dinero. Una calabaza valía cuatro almendras de cacao, un conejo, diez... Un maya podía comprar un esclavo por cien almendras de cacao.

El *batab* era al mismo tiempo el recaudador de impuestos y el gobernador de Tulum. Cada casa tenía que suministrar una pieza de tela de algodón tejido, la cual debía llevarse al templo. En cuanto individuo, cada ciudadano —con excepción de los jefes, que no pagaban impuestos— cubría su tributo en especie, entregando una parte del producto en que comerciaba. Los que tenían abejas llevaban miel y cera; a un pescador podía pedírsele que llevara pescado seco. Una vez que se habían reunido todas las contribuciones, el *batab* entregaba parte de ellas a los comerciantes, quienes las utilizaban en sus operaciones comerciales en tierras distantes, entregándolas a cambio de oro, de plumas brillantes o de otras cosas necesarias para decorar los templos o para vestir a los funcionarios.

La segunda parte del impuesto del pueblo se pagaba en forma de trabajo. Cuando el agricultor (casi todos los mayas eran agricultores) había sembrado sus semillas y podía disponer de algún tiempo libre, daba su tiempo al estado de Tulum. Las casas de los jefes las construían obreros mayas que trabajaban bajo la dirección de un arquitecto como parte de su impuesto pagado en trabajo. Los canteros cortaban bloques de piedra caliza en tanto que otros hacían cemento del mismo material. Los carpinteros hacían las grandes vigas, dispuestas como si fueran rayos que partían de un eje central, que sostenían los techos de piedra. Posteriormente, cubrían la piedra con argamasa hecha a base de cal y sobre ella un escultor modelaba en estuco figuras de dioses. Finalmente, la pintaban.

Por esta razón, los agricultores mayas eran también artesanos. Entregaban parte de su tiempo, y todos juntos, como en un esfuerzo de la comunidad, construían sus ciudades. En esta forma pudieron construir los grandes caminos blancos llamados *sacbé*; valiéndose del mismo sistema fueron cortados los árboles y se construyeron ciudades de piedra en el corazón de la selva.

Los mayas habían hecho esto durante centenares de katunes (un *katún* equivale aproximadamente a veinte años). Tal vez muchos de ellos pensaban que lo seguirían haciendo indefinidamente, para siempre. Pero se habían suscitado muchas disputas y guerras entre ellos, y ahora había muchas ciudades que tenían su propio gobernador independiente. No había una capital maya, ni tampoco un jefe de estado, ni un rey. Los estados tribales se negaban a ser gobernados por otros. Cuando el desastre se abatía sobre ellos, cuando dejaba de llover y sus cosechas se quemaban con el ardor del sol y había hambre, las ciudades con frecuencia se negaban a cooperar entre sí.

Y para empeorar las cosas, en estos años, desde el mar, y provenientes de algún lugar desconocido, unos hombres blancos y barbados se aproximaban a sus tierras...

LA PROFECIA DE 8 AHAU

El batir de los tambores despertó a Ah Tok. Estos tambores tenían un sonido distinto de los que usaban los guardias. Este sonido provenía del *tunkul*, un gran tambor vertical que era tan alto como Ah Tok. Cuando lo tocaban con los palillos que tenían un extremo cubierto de hule, el sonido que producía podía escucharse a muchos kilómetros de distancia.

Cuando llegó allá, la plaza estaba llena con todos los habitantes de Tulum. Los que vivían fuera de los muros también habían venido. Todavía estaba oscuro, y las estrellas llenaban el cielo. Sobre una plataforma plana, frente al templo principal, cantaba un sacerdote y el tamborilero batía el tambor. El sacerdote recitaba la profecía de 8 Ahau, que figuraba en una de las páginas plegadas del libro maya de las profecías. Ese día en épocas anteriores había dado lugar a muchos hechos infaustos. Ahora se presentaba de nuevo y también ahora —una vez más— habían sido vistas las grandes naves de los "barbados". Exhortaba a todos los presentes a indagar en sus vidas. Quería que se entregaran a la oración. También estaba presente el *batab*, vestido con una piel de jaguar y calzado con sandalias de oro. Un gran tocado de plumas verdes de quetzal le caía en cascada por la espalda. En su mano sostenía una lanza, la cual agitó en dirección del mar.

Ese día los hombres no fueron a trabajar a los campos. En cambio, se sentaron en los escondrijos de sus casas a conversar sobre lo que esto significaba para ellos. Los ancianos sabios pensaban que estos extraños hombres debían ser quienes seguían a Kukulkán. ¿Acaso no había dicho él, cuando se fue por el mar, que un día regresaría?

Siglos antes, cuando Kukulkán llegó a las tierras mayas, los tiempos habían estado llenos de dificultades. Él trajo consigo la paz y la unidad. Los mayas, que habían estado peleando entre sí, fueron entonces puestos en orden y se les unió bajo un gobernante y una sola capital. Ahora también andaban los tiempos revueltos y Kukulkán volvía. En cuanto a las barbas... los dioses tienen medios de cambiar su aspecto. Así pensaban los hombres.

Los chicos más jóvenes, que no eran admitidos en los grupos que discutían, aguzaron los oídos, tratando de enterarse qué cosas se comentaban; pero lo que alcanzaron a oír sólo los llenó de confusión. Ellos sabían algo de su historia, por supuesto, porque los muchachos iban a una especie de escuela que mantenía el clan que llevaba el mismo nombre familiar. Allí un anciano que ya no podía trabajar en el campo y que conocía las historias antiguas refería los acontecimientos del pasado. A veces iba un guerrero y enseñaba a los chicos a usar las armas: cómo poner una punta de pedernal en una vara para hacer una flecha, cómo tensar la cuerda de un arco para dar impulso a la flecha. También aprendían a usar el *atlatl*, un pequeño artefacto de madera que se adaptaba a la mano y estaba hecho en tal forma que se amoldaba al asta de la lanza. Utilizándolo, podía imprimirse mayor impulso al arrojar una lanza.

Con frecuencia los chicos libraban batallas simuladas bajo la mirada atenta de su profesor-guerrero. Cada uno de

ellos iba armado con un *chimaz*, escudo redondo hecho
de cuero de tapir o de manatí. Aun cuando su peso era
bastante leve, su consistencia era tan grande como la madera más dura. Las espadas, anchas y pesadas, eran de
madera, pero cuando iban a la batalla, los soldados ponían hojas de obsidiana en sus lados, con lo cual las convertían en instrumentos tan agudos como navajas. Una vez
Ah Tok vio cómo su padre le cortó la cabeza a un venado
con un solo golpe de la espada.

Los juegos guerreros y los cuentos que contaban los viejos del clan les enseñaban algo del pasado de su pueblo.
Pero la mayor parte de las cosas que sabían las aprendieron de sus padres y de los demás miembros de la familia. La enseñanza era práctica: las cosas se aprendían ha-
ciéndolas. Tan pronto como un niño maya aprendía a caminar, comenzaba a hacer lo que hacían su padres, y
compartía el trabajo de la casa. Si se trataba de una niña,
aprendía a hilar el algodón en una bola de hilo, y ayudaba a su madre a teñirlo, con lo cual aprendía qué plantas
proporcionaban el color rojo, qué bayas producían el amarillo. Comenzaba a tejer tan pronto como sus dedos podían
sostener los carretes del telar.

31

Los padres enseñaban a los hijos. Primero las cosas relativas a la agricultura, después las relativas a la cacería y, si vivían cerca del mar, como Ah Tok, se les enseñaba a pescar y a cazar el gran manatí, así como a impulsar una canoa a remo. Como todos construían su propia casa, los chicos podían aprender el arte de la construcción mientras ayudaban en esas actividades.

Es significativo también que todos los hombres mayas fueran artesanos. Algunos hacían buenos arcos y flechas; otros tejían canastas con los mimbres que crecían en la selva. Muchos trabajaban el jade, la piedra verde que todos querían usar, y algunos lo tallaban haciendo con él las mas preciosas joyas.

El padre de Ah Tok fabricaba cerbatanas. Sabía escoger la rama del mejor árbol para sus fines: muy dura en la parte exterior, pero con una médula suave. Practicaba un taladro en la médula valiéndose de una enredadera aguda hasta que quedaba el hueco. Después tomaba nota del grueso que tenía el hueco practicado, dibujándolo en una concha marina; valiéndose de sus herramientas, hacía un hoyo en la concha que tenía exactamente las medidas señaladas. Después hacía bolitas de barro que tenían el tamaño preciso para poder pasar por la perforación hecha en la concha. Cuando esas bolitas tenían el tamaño exacto del agu-

jero de la cerbatana, eran cocidas al fuego hasta que quedaban tan duras como si fueran de piedra. Estas bolitas, puestas en la boca del tirador de cerbatana y expulsadas por medio de un soplido súbito y fuerte, mataban instantáneamente a los pequeños pájaros. Ah Tok recordaba cómo, cuando fue herido en la cabeza por una de esas bolitas, tuvo un chichón durante varios días.

Los chicos también aprendían escuchando. Los mayas tenían centenares de cantos y canciones, que cantaban al son del tambor o al silbido de la flauta. Estos cantos eran historias referentes a los días antiguos. Hablaban de las guerras que habían librado; de los dioses que les habían hecho bien o mal; de sus días de felicidad y de tristeza.

El abuelo de Ah Tok, Ah Kuat, era un *chac*, funcionario sumamente respetado. Un *chac* ayudaba a los sacerdotes a preparar sus ceremonias y cuando iba a celebrarse un sacrificio humano, ayudaba a tener en su lugar a la víctima. Cuando los mayas deseaban casarse, un *chac* era el encargado de preparar los rituales.

Ah Kuat era tan sabio como una serpiente, y de hecho, eso mismo significaba su nombre: serpiente. Había vivido mucho tiempo y visto muchas cosas. Lo más importante de todo era que sabía leer y escribir de acuerdo con el sistema de la escritura maya. En una pequeña casa de piedra, cercana al Gran Templo donde vivían los sacerdotes, había una habitación en donde se guardaban los libros sagrados. Ah Kuat era el encargado de cuidar esos libros, y en esa forma aprendió muchas cosas acerca de la historia maya. El siempre curioso Ah Tok con frecuencia buscaba información en su ilustrado abuelo.

Entonces, ¿qué había querido decir el sacerdote aquella mañana, cuando había dicho: "Ésta es la profecía de 8 Ahau"? Y ¿qué tenía que ver todo esto con los "barbados"?

El viejo, con las manos temblorosas por la edad que lo agobiaba, abrió lentamente el libro. Aunque se pintaba la cara encima de los tatuajes que le habían hecho cuando era un joven guerrero, el único adorno que usaba era un collar de jade. Como todos los mayas, tenía perforados los lóbulos de las orejas desde la niñez, y con el transcurso del tiempo se había ampliado la abertura hasta que adquirió tal tamaño que un huevo de pato podría haber pasado fácilmente por ella. En otras épocas había usado grandes adornos de turquesa en las orejas, pero ahora ya no pensaba en eso. La piel de los lóbulos de sus orejas le colgaba en pliegues como la papada de un pavo.

El libro que abrió estaba pintado sobre papel de corteza. Lo habían hecho con higuera silvestre, o *copó*, el gran árbol de corteza blanquecina y largas ramas que podía rodear a otros árboles y ceñirlos tanto que los ahogaba. Los mayas lo llamaban "asesino de árboles". Ah Tok había visto hacer el papel muchas veces. Se cortaba la corteza en la parte superior del tronco para que quedara libre. La savia, blanca y pegajosa, salía del tronco a semejanza del jugo que produce la corteza del chicozapote (con la cual se elabora el chicle) cuando se practica el corte. Los fabricantes de papel metían primero la corteza en agua con el fin de eliminar esa savia; martillaban después la corteza con un martillo de madera en el cual se habían hecho ciertas protuberancias. Pronto comenzaban a extenderse las fibras; en el transcurso de unos cuantos días un trozo de corteza que originalmente había tenido sólo dos palmos **de ancho podía** extenderse por medio del martillado hasta **hacerlo alcanzar un** metro ochenta centímetros de ancho. Se le **martillaba tan delgado** como era necesario y después se le cortaba en tiras para hacer libros.

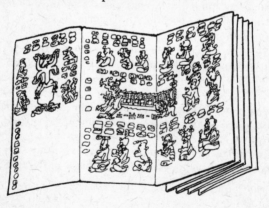

Un libro maya tenía por lo regular cosa de veinte centímetros de alto. Hecho de una sola pieza de papel que a veces tenía más de cuatro metros, después era doblado, plegándolo como un biombo. Cada doblez u hoja era llamado *katún*. Cuando el papel había sido pintado con cal para tener una superficie blanca, el sacerdote procedía a escribir en él. Ah Tok sabía que los mayas conservaban sus historias en estos libros. La escritura era difícil de comprender, pero los retratos de los dioses se reconocían fácilmente. Itzamná, un dios celeste, por lo regular era representado sentado con las piernas en cruz. Sobre su cabeza llevaba un complicado tocado y en su mano sostenía algo como una luz. Era amigo del hombre y fue el inventor de la escritura. El dios de la guerra estaba pintado en tiras anchas rojas y negras, precisamente como se pintaban ahora los guerreros de Tulum. Cada dios tenía su propia representación.

Después estaba la escritura, que eran símbolos de animales, de aves y de otras cosas en su ambiente, cada una de ellas con un significado especial. En cuanto a los números, Ah Tok sólo podía comprender los sencillos: un punto (•) significaba *uno*; una barra (——) significaba *cinco*; si un sacerdote-artista escribía el número de esta manera (•••) significaba *dieciocho*. Si deseaba escribir *veinte*, utilizaba un dibujo de una concha y un punto (𓆑). Ah Tok podía escribir éstos, pero más adelante de ellos sólo podía conjeturar.

El viejo leyó la página, siguiendo lentamente con su dedo los signos y los símbolos:

> *Ésta es la profecía de 8 Ahau.*
> *He aquí lo que ocurrió en la muerte de Mayapán.*
> *Son malas las cosas que ocurren en este katún .*

¿Qué significaba todo esto? Para poder entenderlo, era necesario conocer algo de lo pasado. Todo comenzó hace mucho, mucho tiempo...

Era una época que los libros llamaban *Mamón*, o sea, "la época de la abuela". Sucedió quizá hace dos mil años.

Los mayas habían emigrado del norte, donde está ahora México y donde viven los aztecas, la tribu que se llama a sí mismo de los tenochcas. Alimentándose de raíces y de bayas silvestres, cazando venados y tapires, los mayas hicieron poco a poco su sistema de vida. Esto tuvo lugar en la época maya de *Tzakol*, o sea, "los constructores"; en esta época aprendieron a edificar templos de piedra y a modelar una cerámica hermosa.

También fue durante esta época cuando los mayas aprendieron a escribir. Sus sacerdotes estudiaron las estrellas. Sabían cuándo debía aparecer el planeta Venus y cuándo debía desaparecer. Aprendieron cuándo la luna estaría en creciente y cuándo estaría llena. Con el tiempo, elaboraron un calendario. Y con la recién inventada escritura, los sacerdotes comenzaron a llevar un registro de la historia de los mayas. Cada vez que terminaban un edificio erigían un marcador de tiempo. Estos marcadores eran grandes lajas de piedra, similares a las que aparecen en el centro de Tulum, sólo que de mayor tamaño. Sobre ellas, los escultores tallaron la efigie del gobernante de la época y las fechas que el sacerdote les proporcionó.

De 300 a 700 d. c. los mayas edificaron grandes ciudades en las tierras ubicadas más allá de Yucatán, donde había selvas y ríos. Ninguno de los que ahora vivían las había visto todas, dijo Ah Kuat, y aun sus nombres se han olvidado. Pero un día, cuando él era joven, cuando cayó la capital maya de Mayapán, él huyó con otros a un gran lago interior llamado Petén. Cerca de él encontraron una ciudad inmensa, que se llamaba Tikal. Era tan grande que Tulum se perdería de vista si se colocara en su centro. Las pirámides eran tan altas que se erguían por encima de los árboles más altos y, por cierto, de la mayor parte de los edificios crecían árboles y bejucos. Sólo quedaba libre un pequeño templo, y a él iban los sacerdotes de Petén cuando querían comunicarse con los antiguos dioses. La gente de Petén dijo a Ah Kuat que más allá de ella, en las selvas, había muchas otras ciudades como ésta. Todas habían sido hechas de piedra y todas habían sido edificadas siguiendo el modelo de las grandes ciudades mayas de Yucatán.

DIAS

IMIX	IK	AKBAL	KAN	CHICCHAN
CIMI	MANIK	LAMAT	MULUC	OC
CHUEN	EB	BEN	IX	MEN
CIB	CABAN	EZNAB	CAUAC	AHAU

MESES

POP	UO	ZIP	ZOTZ	TZEC
XUL	YAXKIN	MOL	CHEN	YAX
ZAC	CEH	MAC	KANKIN	MUAN
PAX	KAYAB	CUMHU	UAYEB	

La historia continuó...

Hacia 890 sucedió algo terrible. La lluvia no cayó, los cultivos se secaron, la gente murió a millares. Por toda la superficie del territorio la gente abandonó sus ciudades para buscar alimentos, y muchos de ellos jamás regresaron. Tribus que los mayas nunca habían visto antes comenzaron a venir desde México, donde la sequía era igualmente terrible. Cuando este periodo transcurrió y los mayas pudieron regresar a sus ciudades, habían tenido lugar grandes cambios. Los sacerdotes ya no tallaban los marcadores de tiempo, o piedra que habla, en la roca; en cambio, comenzaron a poner sus historias en libros hechos de papel similares a aquel que ahora leía Ah Kuat.

Muchas de las ciudades costeras eran tan antiguas como la mayor parte de las que se erguían en la selva y los mayas habían vivido siempre en ellas aunque no en gran número.

Ahora bien, una vez que ese "algo" sucedió, comenzaron a llegar a Yucatán en gran número. Las ciudades más antiguas, como la gran Chichén Itzá, fueron ocupadas. Los templos y los juegos de pelota se ampliaron. A todo lo largo de la costa la vida se robusteció.

En el año de 987, el 27 de noviembre para ser más exactos, llegaron los toltecas. Los dedos del anciano recorrían las pinturas, los símbolos, y la fecha: 4 Ahau 13 Cumhu.

Los toltecas venían de las altas montañas de México, y, a semejanza de los mayas, constituían un pueblo muy antiguo. Eran grandes constructores y artistas famosos. Cuando alguien de otra tribu sobresalía en las artes de la pintura o de la escultura lo llamaban "tolteca". Los toltecas eran también guerreros, y libraron guerras con todas las tribus que los rodeaban. Entonces un día les llegó su turno. Durante una guerra fue destruida su capital, y los toltecas se vieron obligados a abandonarla. Se fueron hacia el norte de su antigua capital y construyeron la ciudad de Tula. Precisamente de dicha ciudad, centenares de años después, un clan llamado de los itzaes salió al exilio y se dirigió a Yucatán donde su destino vino a ligarse con el de los mayas. Los toltecas emplearon doscientos años en construir

Tula. Tenían un gran gobernante, Quetzalcóatl, o Serpiente Emplumada. Se le llamaba así porque su símbolo eran las fauces abiertas de una serpiente con las plumas verdes y doradas del quetzal.

Los mitos antiguos no son claros en lo relativo a si Serpiente Emplumada era dios antes de convertirse en hombre, o si era hombre antes de llegar a ser dios. Pero en Tula Serpiente Emplumada era un hombre, un gobernante de la ciudad-estado. Parte de sus súbditos lo quería mucho, pero otra parte lo odiaba. Hubo una guerra civil entre ellos que perdió Serpiente Emplumada, siendo obligado a salir. Lo acompañaron millares de sus partidarios toltecas. Después de mucho vagar sin rumbo fijo llegaron a un lugar de la costa cercano a la tierra de los mayas.

Este lugar, Xicalango, era una isla situada en un gran lago, en una región conocida como "la-tierra-donde-cambia-la-lengua". Al sur de ella la gente hablaba maya, y al norte se hablaba la lengua azteca. Xicalango era el gran centro comercial a donde llegaban los indios de todo México para cambiar las cosas que hacían por productos mayas. En ese lugar no había guerras.

Fue en esta región donde Serpiente Emplumada y la gente que con él había venido aprendieron la lengua maya y, como no tenían hogar propio, comenzaron a ocupar las antiguas ciudades que los mayas habían abandonado años antes. Así, en 987 llegaron a Chichén Itzá, una antigua ciudad maya construida en 452 y abandonada posteriormente.·

Serpiente Emplumada construyó los hermosos templos que Ah Tok podría admirar cuando fuese allá. Sobre la gran pirámide había colocado su propio símbolo, y construyó el juego de pelota más grande que nadie hubiese podido ver nunca. Además, esto es lo más importante, llevó la unidad a los mayas. Antes de su llegada había muchos pleitos entre los mayas, pero él les dijo que eran hermanos, hablaban la misma lengua, usaban las mismas ropas y adoraban a los mismos dioses, ¿por qué razón habían de pasarse la vida haciéndose la guerra? Los mayas aceptaron su manera de pensar, y lo proclamaron gobernante y dios. Lo llamaron Kukulkán, equivalente maya de Serpiente Emplumada.

Kukulkán decidió que los mayas tuviesen una capital. Como hábilmente se dio cuenta de que cada una de las muchas ciudades quería ese honor para sí, y como sabía que esto daría origen a nuevas guerras entre las ciudades, Kukulkán construyó una ciudad nueva. Está situada a no más de una jornada a pie de Chichén Itzá.

Primero construyeron un muro de piedra muy ancho, tres veces más largo que el que rodea a Tulum. Sólo tenía dos estrechas puertas. Dentro de esa muralla construyeron una ciudad que fue llamada Mayapán, o Insignia de los Mayas. Era una versión en miniatura de Chichén Itzá, con templos, pirámides y juegos de pelota. Todo noble había de tener una casa en la ciudad y vivir en ella muchos meses del año. La paz y abundancia llenaban ahora la tierra.

Un día Kukulkán abandonó a los mayas. Dijo que deseaba regresar a su hogar en México. La gente mostró mucho pesar, pero no pudo disuadirlo para que se quedara. En un lugar en la costa que ahora se llama Champotón, embarcó en una gran canoa, y en su memoria la gente construyó un hermoso edificio.

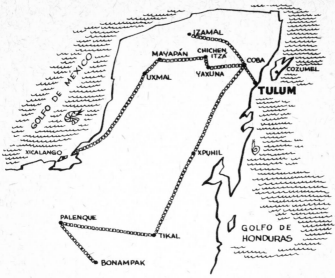

Está escrito que él salió de la región en el katún 2 Ahau —el 23 de junio de 1017— prometiendo que regresaría un día. De modo que recordando esto, creen que la nueva gente que viene ahora del mar, los hombres barbados, son Kukulkán. Tras este paréntesis el viejo continuó con el libro que habla y dijo:

"Mayapán fue una gran ciudad durante más de cuatrocientos años. En todo este tiempo no hubo guerras entre los mayas. Conocimos el comercio y la paz. Yo, Ah Kuat, nací dentro de los muros de Mayapán, y recuerdo... Nosotros, nuestra familia, somos descendientes de los que vinieron de Tula, de aquellos a quienes llamaban itzaes; pero en Yucatán había otros grandes señores, los Cocom. Estos hablaban muy fuerte. Dijeron que ellos, y no los itzaes, eran los señores naturales de Yucatán.

"Un día uno de ellos fue a este Xicalango, el-lugar-donde-cambia-la-lengua. Allí contrató unos guerreros mexicanos para que le ayudaran a conquistar todo Yucatán sólo para su familia. Y así fue. Estos guerreros, que también afirmaban ser descendientes del dios Serpiente Emplumada, siempre iban a donde iban los Cocom, y pronto hubo discordia entre nosotros. Todos los Cocom estaban en Mayapán... salvo uno que estaba lejos, en una expedición destinada a traer almendras de cacao. Entonces, una noche... los jefes de las tribus que odiaban a los Cocom llegaron silenciosamente a la ciudad y... al sonido de un caracol de concha se echaron sobre toda su gente. Mataron a todos los Cocom; mataron a todos los guerreros mexicanos mercenarios; aun murieron algunos de los nuestros, por equivocación. Esa noche de 1441 yo era apenas un chico. Pero recuerdo... las murallas fueron derribadas, las casas arruinadas, nuestros ídolos destruidos.

"Después de eso Mayapán fue una ciudad rota. Mi padre recogió todos los libros sagrados que pudo encontrar y salió para Tulum. Otros mayas itzaes escaparon al gran lago Petén, que está en lo profundo de la selva, a cinco días de camino de aquí. Después de la caída de Mayapán los nobles reanudaron sus guerras, una ciudad contra la otra. Ya no hubo unidad entre nosotros. Peleamos contra nosotros mismos. Eso es lo que dice la profecía." Y Ah Kuah la repitió:

Ésta es la profecía de 8 Ahau.
He aquí lo que ocurrió en la muerte de Mayapán.
*Son malas las cosas que ocurren en este katún y en
esta fecha.*

Ah Kuat continuó: "Cuando el gran calendario, que gira como una rueda, repita la misma fecha en que ocurrió el mal... sucederán nuevamente cosas terribles como la época del huracán: La profecía fue repetida por los sacerdotes, pero la gente no prestó ninguna atención. Esa noche se levantó un gran viento que soplaba desde el mar. Arrancó los árboles de raíz, derribó las casas e hizo que se incendiaran. Grandes astillas, provenientes de los árboles arrancados por el viento, volaban por los aires, matando a mucha gente. El huracán duró un día y una noche. Cuando al fin dejó de soplar, toda la faz de la tierra había cambiado. El bosque había sido cortado en lo alto como si uno de los dioses lo hubiese podado con unas tijeras gigantescas. Después siguió la peste. Y otra vez nuestra gente murió por millares. Mucho se perdió. Muchas cosas cambiaron... hasta el nombre de la tierra. Hubo un tiempo en que se llamó la Tierra del Faisán y del Venado...

"Ahora nosotros, los mayas, de nuevo estamos desunidos. Y más desastres nos esperan. El libro que habla así lo dice. Una y otra vez vienen por el océano grandes barcos que no son los nuestros: los tripulan hombres de ojos azules y grandes barbas. Nuestros ojos son negros, y no tenemos barba. Algunos de estos hombres barbados, quienesquiera que sean, están ya entre nosotros.

"Rónimo es uno de ellos. Está aquí, y aunque es esclavo, es uno de los hombres barbados."

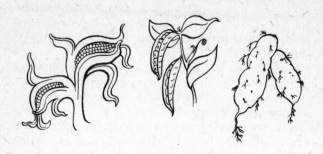

CON LOS DIOSES DE LA TIERRA

El mes de Mol era el último de los meses de cosecha, y como hubo excedente de maíz, fue también uno de los meses de tributo.

Ahora, como sucede en las regiones tropicales en el mes de marzo, hacía mucho calor. El maíz, ya maduro, había sido derribado con las cañas, para que se secara y evitar que las aves se lo comieran.

Los maizales de Tulum estaban hacia el occidente. Más allá de la gran muralla de Tulum, el bosque estaba lleno de palmeras, altos cedros y matorrales. En este bosque preparaban los mayas sus campos de siembra.

Ah Tok y sus hermanos fueron con sus padres y con todos aquellos que tenían ya suficiente edad para trabajar en el campo. Primero cortaron los árboles. Esta tarea era faena de hombres. Y todos los hombres del clan se ayudaban entre sí. Había que cortar los árboles con un *bat*, o sea, un hacha de piedra, porque los mayas no tenían metal. Cuando Ah Tok intentó cortar un árbol con una pequeña hacha de cobre que había conseguido por medio del trueque con otro chico —cuyo padre se la había traído de Panamá—, el duro tronco resistió el filo del hacha de metal como si ésta hubiese sido de cera. Aunque las hachas de piedra eran duras y afiladas, los indios tenían que interrumpir de vez en cuando su labor para trabajar en el filo de la herramienta y mantenerlo agudo. Así cortaban los árboles.

Después, al llegar la estación seca, los quemaban. Los troncos que no alcanzaban a quemarse eran arrastrados y se utilizaban para construir una cerca y evitar con ella que los venados y tapires se comieran las plantas jóvenes. Más tarde, con una vara gruesa endurecida al fuego, se volteaba el suelo y se araba. Todos trabajaban en esto, tanto las mujeres como los hombres. Posteriormente la tierra se dividía.

La tierra pertenecía a los clanes y a la tribu. Pertenecía a todos. Cada año de cultivo el *batab* hacía acto de presencia para medir la tierra. Mientras estaba allí, muy orgulloso de su tocado de pluma, los hombres medían, usando una cuerda que medía poco más de seis metros de largo. Cada *col*, o maizal, debía tener veinte medidas de cinta de largo y otras tantas de ancho. Si un hombre tenía una familia numerosa, recibía más *cols*; si la familia era pequeña, se le asignaba una cantidad menor. Las familias más numerosas llegaban a tener hasta diez campos.

Entre junio y agosto llovía fuertemente, de modo que el suelo quedaba suave y listo para recibir la semilla. Entonces venía el sacerdote al campo para leer lo que decía su almanaque. Allí, en los libros antiguos, decía cuándo era el tiempo bueno para plantar y cuándo los días serían afortunados.

"Éste es 9 Caban. Es buen tiempo; es tiempo afortunado. Caerán fuertes lluvias; es buen tiempo para sembrar cualquier cosa."

Entonces se reunía toda la gente para ayudar a sembrar el maíz de todos. Nadie salía del bosque hasta que todos los campos de maíz estuvieran sembrados. Cuando el maíz crecía hasta la altura de la rodilla, los mayas sembraban frijol cerca de cada caña de maíz. Estos frijoles negros, que ellos llamaban *bul*, se enredarían en la caña de maíz en crecimiento. En otros campos sembraban camotes y yuca, que es también un vegetal feculento. Alrededor de los campos de maíz, sobre los troncos quemados, sembraban chayotes y otras frutas cuyas plantas son trepadoras.

La vida de los mayas giraba en torno al campo de maíz. Si un indio trabajaba tenazmente, sólo tendría que pasar cien días del año trabajando como agricultor. Sus campos le

proporcionarían suficiente maíz para alimentar a su familia, y le quedaría un sobrante para comerciar y obtener a cambio otras cosas que necesitaba. Este tiempo de ocio que le dejaba el cultivo del maíz era lo que le permitía dar parte de su tiempo a la ciudad. Utilizaba esos días en trabajar con los demás en la construcción de los templos y de los demás edificios que hicieron de las ciudades mayas las más famosas del territorio.

Porque, hasta donde Ah Tok podía recordar, siempre había ido a los sembrados de maíz. Cuando era pequeño, sus padres lo ataban a la cuna, colocándola en la sombra mientras ellos trabajaban en los campos. Cuando tuvo cuatro años de edad, fue a jugar en los campos de maíz, y cuando llegó a ocho, comenzó a ayudar. Ahora, a los trece años, hacía el trabajo de un hombre.

Y comía como un hombre; esto es, se le daba la misma cantidad y clase de comida que a un adulto. La primera comida del día consistía en *posol*, la gruesa bola de pasta de maíz que se diluía en una calabaza de agua. Camino de los campos y de la selva siempre llevaban algunas tortillas, frijoles o un trozo de carne de venado o quizá de pavo. Una calabaza de cuello estrecho contenía el agua. Esto era todo lo que tenían para comer en el transcurso del día, a menos que Ah Tok tuviera la suerte de encontrar un panal de abejas. Por la noche comerían alimentos calientes.

Para Ah Tok, la selva era un lugar agradable. A mediodía, cuando hacía mucho calor y las cigarras producían tal estrépito que no podía oírse lo que uno hablaba, le gustaba vagabundear solo, con su cerbatana. Siempre había muchos pájaros. La codorniz, de color café como las hojas muertas, corría por el suelo; al pájaro carpintero, de cabeza roja, parecía no importarle mucho la algarabía que producía al picar en los troncos muertos. Los tordos, de un color tan azul como el que los mayas utilizaban para pintar sus casas estaban siempre por los alrededores. Ruidosos y sin temor, se movían en parvadas, que a veces llegaban a tener hasta cien aves.

Lo que más le gustaba cazar a Ah Tok era el pavo silvestre. Su carne era un manjar, pero lo mejor eras sus plumas, que los guerreros utilizaban en sus tocados. Otros grandes pájaros de la selva incluían al *cambul*, con su penacho amarillo, tan grande como un pavo, con pico negro ganchudo y cabeza amarilla.

Se cazaba a una gran diversidad de loros por sus plumas.

47

Ah Tok nunca trataba de matar un ave de esas a menos que la necesitara para comer. Por esa razón utilizaba su cerbatana. Apuntando al cuerpo del ave, soplaba fuertemente y la bolita de barro aturdía al pájaro. Cuando caía al suelo, sólo le arrancaba unas cuantas plumas y lo dejaba en libertad.

Las selvas secas de Yucatán estaban llenas de animales. Había muchos venados, tantos, en realidad, que la región había recibido el nombre de Tierra del Faisán y del Venado. Se cazaba a los venados con arco y flecha y a veces con lanza, pero como Ah Tok no era todavía lo suficientemente fuerte como para tensar el gran arco, se concretaba a desear que llegara pronto el día en que pudiera ser lo suficientemente grande como para usar las armas del cazador.

Como todos los indios, sentía respeto por los animales. Creía que ellos también tienen alma. Cuando el padre de Ah Tok estaba a punto de disparar su arco contra un venado decía una breve plegaria. "Oh, dios de los animales, tengo necesidad." Después soltaba la flecha. Una vez que el animal había sido desollado y su carne preparada, tenía cuidado de limpiar el cráneo con los cuernos. Lo colocaba en la cocina, cerca del fuego, en señal de respeto. Los mayas creían que si no hacían esto, el animal muerto comunicaría cualquier falta de respeto a los de su especie y el resultado sería que ninguno de estos animales permitiría que se le matara en el futuro.

El tapir, llamado *tzimín*, era el animal más grande de la selva. Tenía un cuerpo grueso, piernas más bien cortas y cabeza grande. Era un animal tímido, que sólo comía la hierba que crecía alrededor de los pequeños lagos que se formaban durante la estación lluviosa. Pero el tapir era muy fuerte, y no podía matarse con arco y flecha. Si un maya lograba matar uno de estos animales, se le consideraba como un hombre sumamente valeroso, porque tenía que acercarse mucho al animal para que la lanza penetrase en su carne dura y firme. Esto acontecía en tan contadas ocasiones que los padres dejaban a sus hijos las pieles de tapir, a título de herencia.

El suelo seco de la selva estaba lleno de rocas y enreda-

deras. Aquí vivían muchos animales pequeños. Había zorros y tejones y el *zub*, un armadillo que cuando está recién nacido tiene el aspecto de un cerdo pequeño. Había conejos grandes, buenos para comer, y también un pequeño agutí, triste por naturaleza, que sólo salía por las noches y vivía en pequeñas cuevas durante el día. Ah Tok acostumbraba poner trampas para cazarlo; su carne era muy buena.

El animal más curioso era el *chic*, una especie de coatí perteneciente a la familia de los tejones que caminaba en grandes manadas. Tenía piernas cortas, cuerpo largo y peludo, cola anillada que conservaba en lo alto, al aire, y una nariz sumamente flexible. A todos los mayas les gustaba; en realidad, con frecuencia tenían uno de estos animales domesticado en su casa. Las mujeres cuidaban de ellos, les daban de comer, los bañaban y hasta los espulgaban.

También venían a la selva los pumas, para alimentarse de los venados y de los pequeños gamos, más chicos que aquéllos, con cuernos cortos que no forman ramas. Pero lo normal era que esos felinos se quedasen en las altas montañas, y sólo se aventuraran a bajar hasta Yucatán cuando tenían mucha hambre. Todos temían al jaguar. Sólo los valientes entre los valientes se atrevían a darle muerte. Pero, en cambio, algunos indios aprendían a hacer trampas para cazarlo, y en esta forma obtenían las pieles que los jefes de la guerra convertían en capas.

Cuando Ah Tok regresó al maizal después de su visita de mediodía a la selva, los hombres estaban ya recogiendo el maíz. Se unió a unos que ponían las mazorcas en grandes bolsas tejidas. Dos indios ayudaban a sostener la bolsa mientras otro colocaba una cuerda que la abrazaba y venía a rematar en la frente del cargador. Cuando tenían necesidad de hacerlo, los indios podían transportar hasta cuarenta kilos todo el día. La gente misma era su propia bestia de carga. Ah Tok también era cargador, pero sólo podía llevar doce kilos. Formando una línea larga, los cargadores siguieron el sendero que atravesaba la selva de regreso a Tulum.

En el camino se erguían inmensos cedros, algunos de ellos con un diámetro cercano a los dos metros, y con una altura superior a los treinta metros. Tan pronto como acabaron de pasar el bosque de cedros encontraron unos esclavos que llevaban una canoa nueva a Tulum. El bote de madera —de más de doce metros de largo y de 120 cms. de ancho— había sido rebajado de un tronco de árbol hasta que su espesor era de sólo una pulgada. El hacer una buena canoa exigía mucha habilidad. Primero, el fabricante de canoas tenía que hacer varias perforaciones en el tronco del árbol. En cada uno de los hoyos iniciaba un fuego de modo que cuando las llamas se habían extinguido, podía fácilmente raspar la parte quemada e iniciar otro fuego. Al hacer esta operación una y otra vez iba resacando el tronco y dando forma a la piragua, que al fin quedaba terminada.

Los esclavos, sucios y desnudos, continuaron jalando la canoa a través de la selva seca. En la proa habían atado dos cuerdas largas hechas de la hoja espinosa de la planta de henequén. Cuando las pencas de estas plantas centenarias eran secadas y peinadas, producían fibras largas y fuertes, que eran torcidas para formar cuerdas. Ah Tok había visto un cable de henequén tan grueso como su cintura. Los arquitectos mayas las usaban para elevar o mover los grandes monumentos de piedra hasta que ocupaban su lugar.

Mientras veinte esclavos asían fuertemente las cuerdas, otros colocaban rodillos bajo la canoa, con el fin de poder transportarla. Tan pronto como uno de los rodillos quedaba atrás de la canoa, un esclavo lo recogía, corría hacia el fren-

te y lo colocaba al frente de los demás, bajo de la proa de la canoa.

Los rodillos se hacían con la dura madera de zapote, que abundaba en la selva. Ah Tok y sus amigos dejaban atrás su maíz y se dedicaban a buscarlos. Cuando encontraban un zapote, o "árbol del chicle", hacían profundas incisiones en el tronco. En seguida se llenaban de un líquido lechoso, y no transcurría mucho tiempo sin que esta sustancia se volviera pegajosa. Los chicos recogían este chicle, o *itz*, como lo llamaban, haciendo con él una bola que introducían en la boca y después masticaban alegremente mientras volvían a sus tareas de empacado.

Ahora la canoa estaba frente a ellos, y como no había sino un sendero estrecho, tuvieron que caminar más lentamente con el fin de poder seguir tras de los que la llevaban. Las grandes canoas que se hacían en Tulum eran famosas en todo el territorio maya. Muchos jefes mayas venían para comerciar y llevarse alguna. Después navegaban en ellas a lo largo de la costa, muy al sur, a una distancia superior a los mil cuatrocientos kilómetros, hasta Panamá. Un miembro de la familia de Ah Tok había participado una vez en una de esas expediciones. En esa ocasión se encontraron por

51

vez primera con los hombres barbados. Cuando regresó a Tulum refirió su historia una y otra vez.

Era más o menos como sigue: En el año que se registró en los libros que hablan como 3 Ahau 2 Yax —o sea, 1502— un hombre de Tulum llamado Ah Cuy, o la Lechuza, se encargó de llevar una canoa nueva hacia el sur. Fue a Omoa, en Honduras, donde los mayas tenían una colonia comercial. El jefe gordo de ese lugar estaba organizando un viaje de comercio a la Isla Guanajua, situada poco más de veinte kilómetros mar adentro.

Ah Cuy los acompañó. Cuando llegaron, se sorprendieron de encontrar cuatro barcos, construidos como casas que flotaran en el agua, que estaban anclados en el lugar. Nunca antes habían visto algo parecido a eso. Los hombres iban vestidos de una manera muy extraña, y todos usaban barbas. El que parecía ser el jefe tenía el pelo rojo y los ojos azules.

Ninguno de los indios pudo entender una sola palabra de lo que decían estos extraños hombres, pero parecían ser amistosos, y, por medio de señales que les hacían con las manos, pidieron manta, y dieron en cambio de ella cuentas que parecían jade. Los extranjeros también' pidieron, por señas, que uno de los indios fuera con ellos al sur de Panamá y que les sirviera de intérprete. Jimbe, uno de los indios que viajaban en la canoa de Ah Cuy, y que conocía algunas de esas lenguas, aceptó ir. Nunca lo volvieron a ver.

Ah Cuy —tan sabio como lo indica su nombre: Lechuza— advirtió que a medida que los extranjeros hablaban, uno de ellos escribía en algo que se parecía a los libros mayas. Ah Cuy vio por encima de sus hombros, pero no pudo esclarecer los signos. Para él, la escritura se parecía a las huellas que hacen las lagartijas cuando corretean por la arena. Cuando Ah Cuy señaló a la escritura, el hombre advirtió que él llevaba un cierto símbolo, o glifo, tatuado en su mano. Representaba su nombre, de modo que Ah Cuy apuntó primero al símbolo y después se golpeó con la palma de la mano el pecho, tratando de indicar que él y el símbolo que ostentaba en una de sus manos eran una y la misma cosa, así como que su nombre era el mismo "Ah Cuy" que pronunció entonces. El hombre barbado comprendió. Así que Ah Cuy, con los mismos gestos, preguntó por el nombre de su capitán, ese hombre de barba roja y ojos azules. Pero Ah Cuy no pudo entender la respuesta. Entonces se le ocurrió dar un trozo de papel de corteza al hombre que usaba la "tinta que habla". Sobre él, el hombre escribió este nombre: *Cristóbal Colón*.

Ah Cuy conservó este maltratado trozo de papel de corteza entre sus tesoros, junto a un pedazo de piel de tapir y a la máscara de oro que había obtenido por trueque en Honduras. Cada vez que bebía demasiado *balché*, la bebida hecha de miel fermentada que los mayas acostumbraban beber en sus días de fiesta, sacaba de su escondrijo el trozo de papel de madera. Y una vez más refería la historia.

Estos fueron los primeros "hombres barbados" que se vieron por el rumbo. Ah Tok pensó mucho en esto mientras caminaba detrás de la canoa. Sólo cuando llegaron al claro que estaba cerca de la puerta occidental de Tulum, Ah Tok *lo vio* por primera vez. Entre los esclavos que arrastraban la canoa había un hombre cuya cara le parecía a Ah Tok que estaba totalmente pintada de negro. Esto, sin embargo, le pareció sumamente extraño, debido a que sólo a los hombres honorables les era permitido pintarse. Entonces Ah Tok pudo darse cuenta de que aunque la cabeza de este extraño esclavo tenía cortado el pelo exactamente como los demás de su clase, ostentaba una gran barba.

Ah Tok se impresionó en tal forma e hizo tanto escándalo que su padre le hizo señales de que debía cerrar la boca.

—El hombre que tanto asombro te causa —dijo su padre—, es Rónimo. Es uno de los "hombres barbados".

LOS "HOMBRES BARBADOS"

El *batab* lo había ordenado.

Todos los mayas debían abandonar el trabajo que estuvieren haciendo para dedicarse a trabajar en los caminos. Los que no recibieron la orden directamente de sus labios, la oyeron de labios del padre de Ah Tok, el *tupil*. Porque era deber de éste vigilar que las órdenes se obedecieran. Los caminos tenían que ser reparados.

Los extranjeros barbados habían sido vistos de nuevo. El *batab* quería que todo estuviera en situación de defenderse, y lo más importante de todo eran los caminos. Tulum tenía tratados con otras ciudades del interior, cuyos guerreros acudirían a ayudarla si el enemigo desembarcaba en sus costas. De modo que había que reparar los caminos.

Al norte de Tulum, a una distancia de dos horas de camino, estaba la ciudad de Xelha. Era más pequeña que Tulum, pero también tenía una muralla protectora. A su manera, era también una ciudad importante, porque los principales caminos mayas conducían a ella. El camino que salía de Xelha conducía al interior.

A corta distancia de Xelha estaba la ciudad de Cobá. Más allá, unos cien kilómetros al oeste, había otras ciudades mayas. Después el camino se volvía hacia el norte, y de allí conducía a la ciudad más grande de Yucatán: Chichén Itzá. De este lugar partían caminos en todas direcciones.

Era una época de grandes trastornos. La gente tenía miedo de lo que escuchaba. Dos veces habían visto desembarcar a los extranjeros en su costas en años recientes, y en ambos casos los mayas los habían atacado y habían conseguido que se retirasen estrepitosamente a sus barcos.

Ahora había venido a la costa un famoso sacerdote. Llevaba una túnica blanca hecha de tela de corteza de árbol, y su cara estaba marcada con las cicatrices de los tatuajes. La parte inferior de sus orejas colgaba como si fueran listones, pues se había cortado muchas veces las orejas con el fin de ofrendar su sangre en sacrificio. Había depositado su propia sangre sobre los ídolos de los dioses a fin de que pudieran revelarle el futuro. Su título era: El-que-tiene-el-deber-de-dar-la-respuesta-de-los-dioses. Después de consultar sus sagrados libros de pinturas y el hígado de un pavo, así como el ala de un buitre muerto, el oráculo había dicho:

"Seremos dominados por otro pueblo que proclama a un dios que tiene el poder de un árbol."

Pocos fueron lo que supieron lo que esto quería decir. Pero el *batab* de Tulum, vestido con una piel de jaguar y con un fino casco de plumas verdes caminaba a grandes zancadas de un lado a otro. Gritó que, fueran los extranjeros quienes fuesen, tendrían que luchar para quitar a los mayas sus tierras.

De modo que había que reparar los caminos, y durante varios días los indios habían estado recogiendo conchas de caracol. Los pescadores mayas buceaban en el mar en busca de estos enormes moluscos y sacaban miles de ellos todos los días. Tan grandes como la cabeza de un hombre, se movían muy lentamente en el mar, eran semejantes a los caracoles de tierra aunque mucho mayores que éstos. Una vez que los indios eliminaban al animal dentro de la concha, limpiaban a veces su interior y después hacían un agujero pequeñito

en el extremo menor de la concha. Esta parte tenía emboca-
dura como de trompeta y sonaba como este instrumento. Di-
chas conchas se utilizaban en las fiestas religiosas, y también se servían de ellas los guardas de Tulum, para transmitir señales. Cuando la gente tocaba música, las conchas se
utilizaban asimismo para producir sonidos profundos.

Además, la concha se usaba también para fabricar cemento. Ahora yacían grandes montones de conchas en la bahía,
que habían reunido los pescadores. Otros indios habían aca-
rreado leña, la cual se reunió alrededor de las conchas y después se encendió. Una vez que el fuego se hubo consumido,
quedó un gran montón de polvo de conchas. Este polvo,
mezclado con arena muy ligera, formaba un cemento blanco muy resistente.

Después el cemento fue puesto en bolsas de algodón, que
los esclavos se echaron a la espalda para llevarlo al camino
interior. Era un trabajo agotador y el calor era insoporta-
ble. A mediodía el sol era tan fuerte que hasta las lagartijas
buscaban sombra donde ocultarse. Los indios se sentaron a
beber *posole* y a descansar a la sombra de los árboles que
coronaban lo alto de la bahía.

Aparte de los otros tomó asiento un hombre barbado, evi-
dentemente agobiado por el cansancio. Después de descansar durante unos minutos con la espalda apoyada contra un
árbol, tomó en sus manos un libro pequeño y usado que
sacó de su red. Ah Tok sabía que este hombre era Rónimo,
y deseaba conversar con él. Quería saber directamente de
su boca las cosas relativas a su pueblo.

Rónimo le contestó en maya. Todo mundo podía advertir
que ésa no era su lengua materna. Pero la hablaba bien.
Cuando se dio cuenta de que Ah Tok era sincero, le refirió
su historia.

Su nombre no era Rónimo, sino Jerónimo, Jerónimo de
Aguilar. Como el chico no pudo entenderlo, Jerónimo le
mostró una página de su libro. En la primera página decía: *Jerónimo de Aguilar*. Le explicó que había estudiado
para sacerdote en España. Pero como también estaba inte-
resado en el mar, se hizo marinero y vino al Nuevo Mundo. Un día embarcó con otros compañeros de Panamá a

Cuba, ésta era la isla, dijo apuntando hacia el norte, donde viven los indios caribes. El décimo día que pasaban en el mar, su barco chocó contra los arrecifes que hay cerca de Jamaica. El barco comenzó a hundirse, y los que pudieron se subieron al bote del barco, pero no tenían agua, alimentos, ni velas.

El botecillo navegó a la deriva durante varios días. Cuando murieron los primeros marineros, fueron arrojados sobre la borda. Pero pronto los tiburones y las barracudas comenzaron a seguir al bote día y de noche. A partir de entonces conservaron consigo a los muertos. El día décimo tercero llegaron a una gran isla. Estaban tan débiles que apenas tuvieron fuerzas para remar hasta que el bote llegó a la costa. Tan pronto como pusieron el bote en la orilla del mar, unos indios mayas llegaron corriendo y los rodearon.

Con los brazos atados a la espalda, los marineros fueron encerrados en una especie de jaula. Los que estaban demasiado débiles para caminar, fueron transportados en literas que parecían redes de pescar. Simplemente se atravesó un barrote largo entre las mallas de la red. Ninguno de los diez españoles que quedaban vivos sabía la lengua maya. Ni siquiera sabían que habían llegado a Cozumel, una isla sagrada de los mayas. A la mañana siguiente se sacrificó al capitán Valdivia. Se le puso encima de una piedra labrada; cuatro ancianos, a los cuales llamaban *chaques*, le asieron firmemente de brazos y piernas. Un sacerdote empuñó un cuchillo de pedernal y con él hizo una herida a través del pecho de la víctima. Después metió su mano en la herida, asió el corazón que todavía latía y, retorciéndolo, lo arrancó.

Jerónimo estaba sumamente débil, y había tan poca agua en su cuerpo después de los sinsabores experimentados en el botecillo abierto que no pudo derramar lágrimas. Al día siguiente otros cuatro de sus amigos, que habían sido pintados de azul, el color del sacrificio, fueron muertos. Otros tres murieron antes de que pudieran ser ofrendados a los dioses mayas. Ahora sólo quedaban él y otro tripulante: Gonzalo el Marinero. ¿Por qué razón no los habían sacrificado? Rónimo pensaba que los reservaban para sacrificarlos otro día. Les dieron alimentos y bebidas; de hecho comenzaron a cebarlos.

Entonces llegó a Cozumel un gran capitán.

Este hombre, Ah Kin Cutz, quería tener a los dos españoles como esclavos. Así que regresaron con Ah Kin Cutz a Tulum. Al principio, Jerónimo era un esclavo doméstico, pero tan pronto como aprendió la lengua maya pudo contar a su amo algunas cosas de sus camaradas españoles.

Un día, cuando Jerónimo veía practicar a los arqueros indios —se servían de un animal atado como blanco— Ah Kin Cutz se le aproximó por detrás.

—Rónimo —le dijo, porque no podía pronunciar completo el nombre español—, ¿qué piensas de esos arqueros? Advierte cuán grande es su puntería. El que apunta a un ojo, acierta en el ojo, y el que apunta a la boca, alcanza la boca. ¿Crees que si tú estuvieras en lugar del animal te acertarían?

Rónimo pensó que había llegado el momento de su sacrificio, pero contestó: —Mi señor, soy tu esclavo. Y puedes hacer conmigo lo que quieras. Pero eres demasiado bueno y demasiado sabio para perder un esclavo como yo, que te servirá en todo lo que ordenes.

Después de esto, Jerónimo pudo disfrutar de la confianza de su amo. Cuando iba a librarse una batalla entre Tulum y otra ciudad maya, su amo, el *batab*, le pidió consejo. ¿Cómo debería librarse la batalla? Jerónimo, que ya había peleado antes con los indios, conocía sus debilidades en la lucha. Trazó en el piso duro un plano que impresionó al *batab*, el cual hizo llamar en seguida a su capitán y le explicó la forma en que debía conducirse la batalla. Días después tuvo lugar el encuentro en la forma que Jerónimo había sugerido. Y se ganó la batalla.

El capitán maya derrotado estaba furioso. Mandó decir con sus embajadores que Jerónimo debía ser sacrificado en seguida, "porque los dioses estaban enojados con el *batab* de Tulum debido a que había conquistado a unos semejantes suyos con la ayuda de un hombre que no pertenecía a su raza ni a su religión".

Después de esto, Jerónimo nunca trató de ayudar a los mayas en sus luchas. Pero su amigo Gonzalo, el otro español cuya vida había sido salvada a fin de que pudiera servir a un personaje maya como esclavo, continuó guiando a los mayas en la lucha. Gonzalo se había casado con una mujer maya, tenía hijos con ella y había adoptado costumbres mayas, como la de perforarse las orejas. Ahora ya no era esclavo; era un importante jefe guerrero: era *nacom*. Vivía como un gran señor maya en la provincia de Chetumal, precisamente al sur de Tulum.

Ah Tok escuchó toda esta historia grandemente maravillado. Pero el hombre de las barbas parecía muy entristecido después de haberla referido. Había estado apartado de su gente durante tanto tiempo que casi había olvidado su lengua materna. Había tratado de conservarla fresca en su memoria leyendo en voz alta del muy usado libro de salmos que tenía en sus manos. Éste era su único libro, y de tanto hojearlo casi lo había roto en pedazos. Contenía salmos que se cantaban en la iglesia en donde se practicaba la religión de Jerónimo. Era lo único que conservaba vivo el recuerdo de sus otros días. En él figuraban los días de fiesta, los festivales religiosos. Le explicó a Ah Tok que manteniéndose alerta acerca de estos días especiales, y anotando cuando transcurrían, había podido registrar el transcurso del tiempo desde que llegó a estar entre la gente de Ah Tok. Según el calendario español, había sido capturado en 1511, de modo que ahora debía correr el año de 1515.

La interrogante más seria en el espíritu de Ah Tok era si Rónimo pensaba que los "hombres barbados" regresarían o no. ¿Acaso, como decía la profecía, regresarían para conquistar a los mayas y para hacerlos esclavos?

El español no respondió a esto en seguida. Sabía que muchos mayas querían que fuera sacrificado. Sabía también que sólo lo había salvado la ayuda de su amo, el *batab* de Tulum. Los indios siempre estaban haciéndole preguntas con el fin de hacerlo caer en trampas, para hacerlo decir algo que podrían utilizar posteriormente en su contra.

Rónimo contestó diciendo que los castellanos —porque tal fue el nombre que usó para designar a los hombres que los mayas llamaban "barbados"— vivían en todas aquellas islas que había a uno y otro lado. Y con un movimiento de su brazo indicó todas las islas del mar: Cuba y todas las demás. No sólo vivían allá los indios caribes, sino que también estaban allá los hombres blancos. Éstos habían construido ciudades y surcaban el mar en grandes barcos. Y esos extranjeros sabían que los mayas vivían en Yucatán. Es cierto que los castellanos que habían venido hasta ahora habían sido derrotados, pero en España, donde estaba el hogar de Rónimo, lejos, muy lejos, había miles y miles más de estos hombres blancos. Para ayudar a Ah Tok a entender qué tan grande era la cifra que representaba el número que mencionó, Rónimo escribió en caracteres mayas, sobre la arena, el número diez mil.

Ahora Ah Tok estaba en condiciones de comprender. En un lugar sumamente lejano, había muchos millares de hombres blancos y barbados que tenían conocimiento de la existencia del mundo maya. Estos hombres vendrían y seguirían viniendo hasta que terminaran por conquistar todo el territorio.

¿Era ésta la profecía de 8 Ahau?

"SACBÉ", EL GRAN CAMINO

Hubieron de transcurrir dos años más antes que Ah Tok tuviera finalmente la oportunidad de ir a Chichén Itzá. El viaje a la gran ciudad les había sido prometido a Ah Tok y a sus hermanos desde hacía tiempo. Su padre había dicho que, como hijos que eran de un *tupil*, debían conocer más cosas de la tierra que los rodeaba. Durante su niñez, Ah Tok había oído hablar sobre la gran ciudad maya, con sus altas pirámides y su inmenso juego de pelota, donde los hombres jugaban *pok-a-tok* con pelotas de hule. Había oído hablar del mercado, lleno de productos comerciales. ¡Cuánto había ansiado verlo!

Pero desde hacía tiempo, como había dicho su abuelo, el mundo maya no era como había sido. Se habían librado muchas guerras entre las ciudades mayas; la gente se mostraba mutuamente celosa. Esto había perturbado la vida considerablemente. Porque Tulum, que vivía del gran volumen de comercio que cruzaba hacia el sur, rumbo a Panamá, sólo lo había tenido en pequeña cantidad. Las guerras habían cerrado los caminos, y lo que era todavía peor, los "hombres barbados" habían venido de nuevo.

El *batab* había tenido razón al procurar que los caminos *sacbé* estuvieran en buenas condiciones. Porque sin ellos, los guerreros no podían transportarse fácilmente sobre la tierra áspera. Yucatán estaba lleno de agudas piedras calizas y espesas selvas secas.

En marzo de 1517 —3 Ahau 18 Mac, en el calendario maya— dos barcos grandes llegaron a la extremidad norte de Yucatán, donde los mayas extraían sal de los lagos salados. Algunos de los hombres de Tulum estaban llenando sus canoas cuando aparecieron los barcos. Por instrucciones recibidas de su capitán, diez grandes canoas, llevando cada una de ellas cuarenta indios, habían ido al encuentro de los barcos. Como todos parecían amistosos, los indios aun llegaron a subir a bordo, y se maravillaron por lo que vieron.

El señor de los mayas invitó entonces a los visitantes a que fueran a la costa, diciendo: —Ven a visitar nuestras casas. —Pero una vez que los castellanos desembarcaron y estuvieron en camino, los guerrreros mayas les pusieron una emboscada en la alta selva. A una señal dada, los indios atacaron y mataron a quince castellanos. Los hombres barbados dispararon entonces un arma que los mayas nunca habían visto ni oído. Era como el tronco hueco de un árbol. De su boca salían llamas y un ruido como el trueno. Veinte guerreros mayas cayeron muertos inmediatamente. La pelea duró poco tiempo, los hombres blancos se retiraron inmediatamente a una ciudad maya, saqueando sus ídolos y llevándose una pequeña cantidad de oro. Se llevaron consigo a dos indios mayas y huyeron a sus naves.

Así que la paz volvió a la tierra, la familia de Ah Tok —la familia Chen— emprendió el por tanto tiempo prometido viaje a Chichén Itzá.

Transcurría el sexto mes del año maya, el mes de Xul, cuando la gente de todo Yucatán honraba a su gran patrono, Kukulkán. Los caminos estaban llenos de gente, pues se trataba de un festival muy importante. La familia Chen entró al principal camino real más allá de Xelha.

El gran camino era llamado *sacbé* porque *sac* significaba blanco, y en verdad que el gran camino era blanco. De cuatro y medio metros de ancho, estaba construido como una calzada elevada por encima de la superficie del suelo. Para marcar la anchura, los constructores habían levantado muros de piedra a ambos lados. Después se llenó el hueco con cal suelta hasta que alcanzó el nivel deseado, que era el que tenían los muros de los lados. Después se le agregó grava gruesa, y en la parte superior los constructores pusieron un cemento hecho de cal, finamente molido, que extendieron y aplanaron sobre la superficie del camino, mezclado con agua. El *sacbé* era algo maravilloso. Todos los indios que marchaban por él se asombraban al ver la recta calzada que atravesaba el pasadizo oscuro del bosque, blanco como las alas de una garza.

Ese día el camino estaba lleno de gente que se dirigía hacia Chichén Itzá. Todos ellos llevaban alguna carga sobre sus espaldas por medio de una cuerda que pasaba por la frente de sus cabezas aplanadas. Había tantos de ellos que caminaban a medio trote que, a juicio de Ah Tok, se asemejaban mucho a esas hormigas cortadoras de hojas que mantienen la hoja cortada por encima de sus cabezas como si fuera un parasol, a medida que avanzan hacia sus jardines subterráneos.

El camino *sacbé* estaba espaciado con marcadores de piedra que indicaban la distancia. Cada ocho kilómetros o distancia parecida, un pequeño camino se apartaba del principal y lo comunicaba con las aldeas que estaban en algún lugar de la selva baja. En otros puntos a lo largo del camino había pequeños santuarios. Éstos fueron erigidos al dios de la Estrella del Norte y protector de los viajeros. Se le enseñó a Ah Tok a quemar incienso de copal en cada uno de los santuarios y a rezar al dios para que ayudara a los viajeros a llegar al fin de la jornada sin contratiempos.

Cobá fue la primera ciudad grande que encontraron en su camino. Estaba a unos treinta kilómetros del mar. Había tantos caminos que partían en todas direcciones, que la familia Chen tuvo que preguntar a un habitante de esa ciudad para tener la seguridad de que iban por el camino correcto.

Cobá era muy antigua. Los marcadores de tiempo colocados en la plaza principal mostraban que el más antiguo había sido colocado en el año 682 del calendario español.

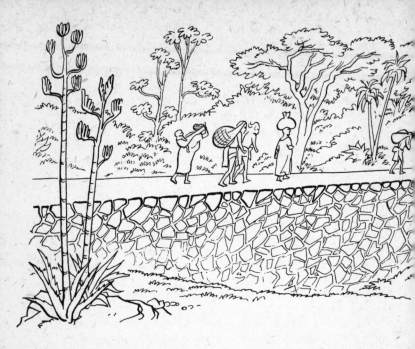

Algunos decían que Cobá era una ciudad sagrada porque estaba construida alrededor de lagos que nunca carecían de agua.

Un camino ancho, el *sacbé* número 3 (•••) iba a dar directamente a la plaza principal. Ah Tok pudo ver en seguida que Cobá había sido edificada de acuerdo con un plano diferente al de Tulum. La plaza principal era larga, tenía como ciento veinte metros de largo, y casi otros tantos de ancho. Los principales templos, sólidos y voluminosos, se erguían uno tras otro. Las escaleras, por las cuales trepaba la gente, comenzaban en la plaza. En Tulum, los edificios eran más pequeños y estaban separados entre sí, pero aquí en Cobá estaban todos amontonados y de uno se pasaba al otro. Una gran parte de la ciudad daba frente a los lagos, del mismo modo que Tulum daba frente al océano.

Los visitantes que estaban en Cobá podían quedarse en la casa de los viajeros. Cada ciudad y cada aldea maya

64

tenían un lugar así para los que tenían que viajar. Todas
estas casas tenían leña amontonada y lista para usarla, así
como maíz seco a un lado, a fin de que las mujeres pudie-
sen hacer tortillas. Como desde la niñez se enseñó a los
mayas a ser generosos entre sí, nadie pasaba hambre. Además de esto, los viajeros podían encontrar lugares para dor-
mir, y alimentos para su uso, a lo largo de los caminos.

El numeroso clan de los Chen, al cual pertenecía la familia de Ah Tok, estaba diseminado por todo Yucatán. Los
mayas creían que toda la gente que llevaba el mismo nombre tenía la misma sangre, y tan pronto como dos mayas
se encontraban, uno de ellos preguntaba al otro su nombre.
Si ambos tenían el mismo nombre, entonces los dos pertenecían a la misma familia y en seguida eran invitados a
parar en la casa del otro.

El abuelo de Ah Tok, que viajaba con ellos, le explicó
esto a Ah Tok de la siguiente manera: "Nosotros siempre
llamamos a nuestros hijos y a nuestras hijas por el nombre de su padre y de su madre. Tu padre es un Chen y

65

tu madre es una Chan, de modo que tu nombre completo es Ah Tok Nachan Chen. *Na* significa 'el hijo de'."

"En Cobá la familia Chen es muy numerosa. No nos conocemos directamente, pero si tenemos el mismo nombre, debemos pertenecer a la misma familia, al mismo clan y tener la misma sangre. Y ésta es la razón de que los mayas digamos que todos los que llevan el mismo nombre son una misma familia o clan y de que nos tratemos como tales."

La familia Chen, sus ocho miembros, recibieron la bienvenida en una gran casa no demasiado distante de la plaza. La casa estaba construida como la de ellos en Tulum, sólo que era más grande, porque la habitaba una familia más numerosa. El techo, sin embargo, tenía una inclinación mayor, porque en Cobá llovía más. Los dormitorios eran grandes y amplios, y debido a que la costumbre de comer separados hombres y mujeres se observaba también en Tulum, los visitantes se sintieron como en su casa.

Ahora el festival de *emkú* estaba en proceso. En una casa cercana se había limpiado un patio con mucho esmero, y se habían extendido por el piso hojas nuevas. En el patio estaba un grupo de niños, todos de menos de doce años de edad. En otro grupo había niñas de aproximadamente la misma edad. Los chicos no llevaban ropa, y las niñas sólo un gran caracol marino que se mantenía en su lugar alrededor de la cintura sujeto por una cuerda gruesa.

Los chicos se mantenían dentro del cuadrado mágico, cuyos límites señalaba una cuerda extendida. En cada esquina del cuadrado estaba un *chac* sentado en un taburete de madera, sosteniendo la cuerda en sus manos. Los *chaques* eran hombres ancianos y honorables de la ciudad escogidos especialmente para este ritual del *emkú*.

Ah Tok recordaba haber pasado por este ritual cuando tenía doce años de edad. Y en ese tiempo su propio abuelo había sido uno de los *chaques* que tomaron parte en él.

El cuadrado mágico fue hecho de tal manera que ningún espíritu del mal pudiera atravesar la cuerda y dañar a los chicos. El *chilam* o sacerdote, se adelantó. Era un hombre de porte noble. Iba envuelto en una capa de plumas rojas

66

tejidas, y sobre la cabeza tenía un gran tocado de plumas del mismo color. Su largo pelo negro estaba tejido en trenzas entre las cuales se entretejieron listones de colores. Estos listones eran tan largos y tan cuantiosos que llegaban hasta el suelo.

Primero el *chilam* purificó la casa soplando sobre un grueso cigarro de tabaco negro colocado en un sostén de madera labrada. Después sopló el humo de tabaco por uno y otro lado para ahogar a cualesquiera espíritus del mal que pudieran estar al acecho. Repitió el acto a medida que caminaba a lo largo del cuadrado mágico.

Al entrar al cuadrado mágico se sentó pesadamente en un taburete de madera. Un *chac* le trajo un brasero donde ardía brillantemente el carbón encendido. El *chilam* extrajo de un bolsa pequeña un poco de maíz seco y molido y algunos trozos de *pom*, la resina vegetal, o copal, que los mayas usaban como incienso. Dejó caer esto sobre los carbones y se esparció un olor agradable.

Entonces se hizo presentarse a los chicos en orden. Les siguieron las chicas. En las manos de cada uno el sacerdote puso un poco de maíz seco y copal y a medida que pasaban ante él cada uno de ellos lo arrojó en el fuego.

Una vez hecho esto el sacerdote derramó *balché* en un hermoso vaso. Esta bebida oscura, hecha de miel fermentada, era su vino. Mientras la derramaba, le hablaba a un *kayum*, hombre que ayudaba en el ritual. Este *kayum* debería llevar la bebida a los límites de Cobá. No debería beber de ella, ni ver hacia atrás. Cuando llegara al límite de la población, tenía que dejarla allí. Entonces cualesquiera espíritus del mal que pudieran haber por los alrededores lo seguirían por el *balché*, beberían y en esa forma no regresarían a perjudicar la ceremonia.

Entonces un *chac* le trajo al sacerdote su vara mágica, un bastón de madera hermosamente labrado, que tenía unas serpientes entrelazadas cuyos ojos eran de jade y estaban incrustados en la madera. La vara tenía en uno de los extremos los cascabeles de una serpiente, y alrededor de ella se ataron ramas de una planta que exhalaba un olor a menta fresca.

Luego tocó el turno a las madres mayas, que vinieron y, con una tela blanca y nueva, especialmente tejida para el ritual de *emkú*, cubrieron las cabezas de cada uno de los niños presentes.

El sacerdote avanzó entonces hasta la fila de niños y agitó la vara mágica nueve veces sobre cada una de las cabezas. Les preguntó si habían observado las costumbres mayas; si habían respetado a sus madres y a sus padres.

Hizo ademán de pegarles si se daba cuenta de que no le decían la verdad. Si un chico confesaba que no había hecho lo que debía, el sacerdote lo tomaba por un brazo y lo separaba.

Cuando hubo terminado de hacer esto tomó asiento.

Ahora le tocó el turno al donante de la fiesta. Este "escogido" era uno de los padres cuyo hijo o hija participaba en el ritual de *emkú*. Lo escogían los demás padres de familia para que fuese su representante. Como el ritual resultaba muy costoso, ningún indio podía permitirse el lujo de ofrecerlo por su cuenta. Todas las familias compartían los gastos, y cada una daba pavos, maíz o carne de venado a fin de que el costo no recayera en una sola persona.

El que daba la fiesta llevaba una manta nueva, tejida por su esposa, quien la había hecho lo más hermosa posible. En ella había tejido dibujos espléndidos: aves, monos y serpientes ondulantes. Llevaba grandes aretes de jade, y en una perforación de la parte izquierda de sus narices, hecha cuando era todavía un niño, ostentaba un topacio amarillo. Su cara estaba pintada con dibujos de color rojo y amarillo.

En su mano llevaba el hueso hueco de una pierna de tapir, uno de cuyos extremos estaba obturado con cera negra de abejas. Dentro del hueso había agua virgen, es decir, agua que había sido tomada de las hojas de los árboles del bosque y que no había tenido contacto alguno con el agua de pozos o de lagos. Esta agua era después mezclada y teñida con flores de la planta de cacao. El donante de la fiesta avanzaba hasta donde estaba la hilera de niños y untaba sus cabezas, sus caras y hasta los espacios que quedaban entre sus dedos desnudos, con esta agua virgen.

Mientras se llevaba a cabo esta ceremonia no se producía ni un solo ruido. La gente y los niños que pasaban por el ritual de *emkú* se mantenían tan silenciosos que Ah Tok podía oír los ruidos que hacían los monos al disputar en la selva, a cierta distancia del lugar.

Al fin llegó el momento importante.

Cuando Ah Tok tomo parte en el *emkú*, al principio no pudo comprender por qué sus padres se mantenían tan serios, ni tampoco la razón del ritual. Su abuelo, el sabio Ah Kuat, que participaba con frecuencia en estos rituales, se lo explicó. Cuando un chico llegaba a la edad de doce años se convertía, en efecto, en un hombre. Mientras era niño no usaba ropas ni sandalias. Su trabajo, fuera el que fuese, era principalmente juego. Aunque ayudaba en las tareas de la casa o del campo, su ayuda era una especie de juego paralelo al trabajo. Ahora, a los doce años, un niño maya llegaba a la mayoría de edad. En lo futuro se vestiría como un hombre y usaría el *ex* y las sandalias. Trabajaría como un hombre y comería como él. En forma parecida, las chicas vestirían como sus madres. El *emkú* se celebraba porque los padres querían ver crecer a sus hijos y convertirse en miembros del clan familiar maya.

Emkú, que significaba "el descenso de dios", tenía que realizarse hasta en sus menores detalles. Nada podía pasarse por alto, porque había que agradar a los dioses.

La ceremonia continuó. Los *chaques* entraron al cuadrado mágico con un pequeño cuchillo y por turnos cortaron la cuenta amarilla de topacio que todos los chicos habían adherido a su frente antes de esta ceremonia. Después se presentaron las madres de las chicas y, arrodillándose delante de sus hijas, les quitaron la concha marina que hasta entonces había sido la única prenda de vestir que sus hijas llevaran. Entonces cada una de ellas envolvió a su hija con una hermosa falda, que había sido especialmente tejida para la ceremonia *emkú*.

El hecho de quitar la concha era una especie de licencia con la cual se permitía a las chicas casarse cuando sus padres lo consideraran conveniente. Y hacían esto una vez que cumplían los dieciséis años de edad.

Ahora era el momento de que todos se sintieran alegres. El sacerdote trajo un gran vaso lleno con la fuerte bebida *balché*. Mientras decía muchas cosas graciosas, que hicieron reír a todos los que lo escucharon, dio el vaso a uno de sus ayudantes. Este *kayum* era un cantante, cuya obligación era cantar las canciones y las historias y ayudar al sacerdote en sus otros menesteres. Ahora, su deber consistía en beber todo el vaso de *balché* sin descansar. No se

le permitía detenerse ni para tomar aliento, porque si lo
hiciera acarrearía mala suerte. Toda la gente se congregó
a su alrededor, riendo y gritando mientras él bebía. Cuando hubo terminado, dieron un gran alarido. Los tambores
comenzaron a sonar y las flautas a tocar, y la gente comenzó a bailar.

Los niños que ahora habían alcanzado su mayoría de
edad recibían regalos. Los varones recibían sandalias, arcos,
flechas, una lanza y, a veces, un cuchillo de pedernal, o
tok. A las chicas les dieron listones para el pelo, collares
de jade y mantas. Algunas madres regalaron a sus hijas
un telar auténtico, a fin de que las chicas pudieran tejer
ropa por su cuenta. Después de dar los regalos, toda la gente comenzó a danzar de nuevo.

LOS POZOS DE CHICHEN ITZÁ

El camino que conducía a Chichén Itzá estaba lleno de
gente cuando la familia Chen continuó su viaje. La distancia de noventa kilómetros que hay entre Cobá y la siguiente ciudad grande no era excesivamente larga, pero aun así
fueron necesarios dos días para recorrerla. El resplandor
del sol difícilmente penetraba el verdor que cubría el amplio camino. El camino todavía se elevaba sobre el nivel
del suelo, como si fuera una calzada. En varios lugares
donde el suelo se hundía en alguna hondonada, los constructores del camino se las habían arreglado para conservar su nivel. De modo que a veces el *sacbé* estaba cerca
de cinco metros sobre el nivel del suelo; pero siempre
era recto, y conservaba invariablemente, asimismo, la misma anchura de cuatro metros y medio.

Era obvia la razón por la cual el camino tenía que ser
constantemente reparado. En esta tierra fértil las semillas
de los árboles caían constantemtne sobre el *sacbé*, y como
sólo necesitaban una pequeñísima cantidad de tierra para
germinar, pronto la pequeña planta enviaba sus raíces a
través de cualesquiera escoriaciones del camino. Y si no se
cortaba pronto dicha planta, se convertiría en árbol que

quebraba y levantaba el camino a medida que sus raíces engrosaban.

Ah Kuat decía que había caminos como éste por todo Yucatán. En una ocasión, al perseguir un venado, había cruzado un antiguo camino que nadie había mencionado jamás. Parcialmente invadido por los árboles, conducía a algunas ciudades mayas de piedra que posteriormente fueron abandonadas. Pero, ¿cuánto tiempo hacía que se construyó ese camino?

Conforme avanzaban y veían gente semejante a ellos que iba cargada con productos destinados al comercio en el mercado Ah Kuat refirió la siguiente leyenda:

"En tiempos muy antiguos, cuando su gente había construido los templos de Chichén Itzá y de las demás ciudades, vivía allá un señor muy poderoso. Se llamaba Ucan. Hizo tan grande su reino que se dio cuenta que tenía que unirlo por medio de caminos, pues, al estar cubierto de piedras el suelo de Yucatán, era tan áspero que los hombres no podían moverse ni viajar con rapidez por él. Ucan era un guerrero tan poderoso que todo lo que tenía que hacer, para tener un camino, era llevar consigo una piedra blanca mágica. De ella surgía el *sacbé* como si fuera un rollo de listón que se desenvolviera. El camino se hacía a sí mismo a medida que él caminaba. En esa forma hizo muchos caminos. Estaba tan ocupado en estas cosas que, a diferencia de otros señores mayas, nunca se casó. En realidad, ni siquiera miró nunca a una mujer.

"Pero un día, cuando estaba construyendo este camino que sale de Chichén Itzá, llevaba su piedra y dejaba que el camino se desenrollara como una cinta, se encontró con una mujer muy hermosa. Ella tenía el pelo enrollado hacia arriba y envuelto con listones de color alegre y brillante, como lo usan las mujeres mayas. Era tan hermosa que la mayor parte de los demás jefes mayas no pudieron resistirla. Pero Ucan no le puso ninguna atención.

"Ella le dijo: —Ucan, ven acá. Voltea tu cara hacia mí. —Él no le puso atención alguna sino que continuó haciendo que la piedra mágica fabricara el camino.

"Pero la mujer era tan terca como él. Se detuvo frente a él, bloqueando sus movimientos y haciéndolo detenerse.

"Fue entonces cuando Ucan realmente la vio y se dio cuenta de cuán hermosa era. Se detuvo, dejó caer la piedra mágica que portaba y principió a seguirla. Después de esto perdió su poder. Los mayas ya no construyeron caminos.

"La piedra que Ucan dejó caer todavía puede verse cerca de Champotón."

Cuando Ah Tok preguntó si esta historia era real, su abuelo se rió. Estas eran parábolas para hacer que los niños mayas se dieran cuenta de la importancia que reviste el continuar trabajando en cualquier cosa que se haga, no importa lo que suceda. En cuanto a la antigüedad del camino, si Ah Tok pudiera leer la escritura maya, podría investigarlo por sí mismo.

Al comienzo del camino había marcadores de piedra sobre los cuales había escritos diversos signos calendáricos. El marcador de tiempo había sido erigido en un periodo del calendario maya equivalente a 652 d. c. En tal virtud, el camino tenía 850 años de edad.

Yaxuna, la siguiente ciudad, estaba sólo a tres horas de camino antes de llegar a Chichén Itzá. Ahora el camino estaba más concurrido que nunca. De vez en cuando se dejaba oír un grito de advertencia, y los viajeros se apartaban del centro del camino. Un corredor, el portador oficial de mensajes, venía. Llevaba escrito un mensaje en un trozo de papel *huun*, o sea de corteza martillada, enrollado en la parte superior del pelo y sostenido en su lugar por una red.

Más tarde, la gente tuvo que hacerse a un lado pues venía la procesión de los señores mayas. Primero escucharon a los guardas que hacían sonar las trompetas de caracol. El largo y plañidero sonido podía oírse desde muy lejos. Entonces los guerreros se adelantaron a la carrera. Como era costumbre, sus caras y cuerpos iban pintados con anchas rayas de color rojo y negro. Las lanzas que llevaban tenían puntas de pedernal tan agudas como si fueran de metal. Las astas de las lanzas estaban cubiertas con pieles de jaguar, y cerca de la punta llevaban orlas de algodón de color rojo y verde. Los guerreros iban descalzos y de no ser por el *ex*, cuyos dobleces hermosamente tejidos colgaban hasta las rodillas por delante y por detrás, se diría que andaban desnudos. A través de sus orejas perforadas llevaban agujas largas de jade pulido. Cada traje difería de los demás sólo en el estilo de los cascos. Uno parecía la boca abierta de un jaguar; estaba labrado con tanta destreza en madera dura que casi parecía real. Una manchada piel de jaguar cubría la parte superior. Otro casco llevaba la cabeza de un tapir; otro tenía la forma de un cráneo humano.

A los guerreros seguían dos trompeteros, cada uno de los cuales producía una nota diferente, larga y hueca. Después venían más soldados. Finalmente venía el Hombre Verdadero, el más grande jefe de la tierra.

Se sentaba en una litera que llevaban ocho hombres, cuatro a cada lado, que equilibraban sobre los hombros los palos largos sobre los cuales se asentaba. Un palio de plumas cubría una estructura de madera primorosamente tallada con serpientes enroscadas.

Dentro de la litera, sin mirar a un lado ni a otro, iba el gran hombre. Estaba vestido con un magnífico tocado de plumas de quetzal. Estas plumas, de más de noventa centímetros de largo, eran tan brillantes que parecían producir chispas de luz verde y oro a la luz del sol. Alrededor del cuello llevaba un inmenso collar de jade, y hasta sus puños estaban cubiertos con adornos del mismo material. Sus orejeras y los anillos que llevaba en los tobillos también eran de jade.

Se mostraba muy arrogante, y cuando pasó todos los viajeros hicieron una profunda reverencia y exclamaron: "¡*Halach uinic!*" Una vez que hubo pasado, se levantaron y pusieron un poco de tierra sobre su frente.

El Hombre Verdadero era el más grande de los capitanes. Fungía como jefe de varias otras ciudades mayas. Reverenciado como un dios, uno de sus títulos era "El hombre de suprema importancia". Su palabra era definitiva.

Constituía la ley. Los *batabs*, gobernadores de las ciudades, lo atendían con gran meticulosidad. Hasta los grandes sacerdotes lo halagaban, porque él era también el jefe de la religión maya.

Tenía una esposa que era, en todos sentidos, su consorte. Se esperaba que su hijo sería algún día lo que él era ahora; el *halach uinic*. Pero si sus hijos no se mostraban dignos de tal puesto, su hermano, el tío de sus hijos, se convertiría el *halach uinic* a su muerte.

Estaba tan por encima de los demás, tanto, tan fuera de la comprensión, que Ah Tok no pudo dejar de maravillarse cuando lo vio.

En pleno mediodía los viajeros vieron finalmente la gran pirámide de Kukulkán, blanca y resplandeciente ante el

76

sol. Llegaron del noroeste, por el sacbé número 6 (●) ,
como dijo Ah Kuat. El camino conducía primero a un alto
muro de piedra que circundaba toda la parte sagrada de
Chichén Itzá. Guardaban la puerta dos soldados que, lanza en mano, vigilaban a todos los que pasaban. De vez en
cuando detenían a un viajero para examinar las cosas que
llevaba a la espalda. Los visitantes de otras provincias, que
llevaban vestidos diferentes, eran detenidos e interrogados
en la puerta. Como la ciudad de Tulum tenía una alianza
con Chichén Itzá, los soldados permitieron entrar inmediatamente a la familia Chen. Cargados con sus productos,
todos ellos pasaron por la puerta, siguiendo el *sacbé* (●) ,
que conducía al mercado.

Ah Tok nunca había visto nada tan grande como este
yaab, o mercado, situado en una inmensa plaza de cien

metros por lado. Alrededor de ella, bajo un techo, había columnas esculpidas, labradas con retratos de guerreros armados de lanzas. Este famoso mercado, llamado por la gente "plaza de las mil columnas" contenía numerosos y bellos edificios. Los lados estaban hechos de piedras labradas y ensambladas como si fueran mosaicos. Entre las esculturas los muros estaban pintados de rojo, amarillo y azul. Dentro estaban las salas de consejo para los comerciantes, o *ploms*. Estos gruesos mayas —los acaudalados— tenían su propia forma de vestir, que era sumamente elegante. Tenían su dios propio, Ek Chuah, y dentro de estos edificios de piedra había un santuario consagrado a él. Ellos tenían hasta casas de descanso en las ciudades donde comerciaban. No pagaban impuestos; esto es, a semejanza de los funcionarios de las ciudades, no pagaban los impuestos con trabajo.

Como siempre dijo el padre de Ah Tok, el comercio era la sangre vital de los mayas. Esto podía entenderse fácilmente. Como el maíz constituía la principal cosecha y los mayas cosechaban más de lo que podían consumir, el ocio de que disfrutaban les permitía crear cosas de su propia artesanía. Los mayas llegaron a ser hábiles artesanos al mismo tiempo que agricultores y, por supuesto, cada uno de ellos elaboraba algo que lo distinguía.

Algunos, como el padre de Ah Tok, fabricaban cerbatanas, otros hacían lanzas o tocados de pluma. Las mujeres fabricaban toda la cerámica y el tejido, no sólo el que utilizaría la familia para vestir, sino también aquella parte de los tejidos que se usaba como pago parcial de los impuestos o tributos. Aún entonces sobraba mucha tela que se usaba para comerciar y obtener a cambio de ella algo que faltaba. Los mayas que vivían en las selvas altas cazaban aves para utilizar sus plumas que cambiaban por alimentos o por joyas. Los que labraban el jade, trabajaban la piedra sagrada que todos los mayas preferían. Otros tallaban madera. También había recolectores de sal. La sal más fina y más pura de toda América se recogía en los lagos salados de Yucatán, ubicados cerca del mar. Cuando la marea estaba alta, los lagos se llenaban con agua de mar. Después los

indios obstruían la entrada del agua a fin de que ésta no pudiera retirarse hasta el mar. Bajo los rayos del ardiente sol el agua se evaporaba, dejando una gruesa capa de sal blanca. Los indios sólo tenían que recogerla en sacos. La sal es muy necesaria para toda la gente que consume principalmente cereales o granos. Los jefes mayas que gobernaban las tierras cercanas a Ekab sabían esto. Controlaban la sal y se les conocía como "los señores del mar".

Todo esto y muchas otras cosas eran llevadas al mercado. Asombraba ver cuán ordenado era. Había allí más de diez mil personas; y sin embargo todos los que venían para comerciar sabían a dónde se suponía que debían ir. Con la barriga prominente sobresaliendo por encima del taparrabo un funcionario gordo dirigía a los recién llegados según lo que tuvieran que vender o lo que trajeran para comerciar.

Los que vendían alimentos estaban en una sección. Bajo toldos de algodón que las protegían del ardiente sol se sentaban las mujeres, ofreciendo maíz en sacos. El chile, que picaba en la boca como fuego, se vendía en pequeños montones. Las mujeres arreglaban sus montoncitos después de que un supuesto comprador los había examinado. También había camotes y un tubérculo llamado *macal*, que era una

79

especie de patata. Había tomates, calabazas y muchos tipos de frijoles. El mercado de frutas era grande, pero los indios comían la fruta sobre la marcha porque era difícil transportarla.

En otra sección estaban los comerciantes en especias, que ofrecían sal, pimienta, una hierba llamada *chaya* y otras cosas similares. También se vendía vainilla. Cualquier indio podía decir dónde estaba esta sección del mercado por el penetrante olor que despedía la orquídea de la vainilla. Estas hermosas flores blancas producen un olor fuerte y penetrante: cuando las flores se secan, se forma una cápsula parecida a una vaina. Esta cápsula tenía el aspecto de frijol seco, y los mayas la utilizaban para dar sabor a la miel y al chocolate. Las mujeres también hacían un perfume con ella.

En otra parte de este maravilloso mercado de Chichén Itzá la gente se sentaba bajo sus toldos blancos, ofreciendo telas en todas las formas en que podría desearlas un maya.

Y también había joyeros, hombres sumamente respetados. Vendían el popular jade y el topacio, una piedra pequeña de color amarillo que algunos llamaban también "ámbar". Estas piedras amarillas las usaban los hombres en una perforación practicada a un lado de la nariz, mediante una operación sumamente dolorosa. A algunos mayas les gustaba llevar jade incrustado en los dientes. El joyero tomaba un taladro de hueso, que hacía girar adelante y atrás una y otra vez en el diente hasta que hacía un hoyo profundo. Dentro de él cementaba un pequeño trozo de jade redondo. También se ofrecían aquí joyas hechas de conchas marinas, turquesa u obsidiana, y algunas veces hasta perlas. Pero sólo los "acaudalados", los que tenían muchas almendras de cacao, podían darse el lujo de comprarlas. Estas raras perlas eran tan grandes como el pulgar de una persona. Habían sido traídas desde una distancia de mil seiscientos kilómetros, desde Panamá, por los mayas que comerciaban por mar. Los fabricantes de imágenes tenían una activa sección del mercado. Su lugar estaba cerca de los edificios de piedra donde estaba sentado el *holpop*, o juez del mercado. Aquí los mayas podían comprar un ídolo —de barro, de piedra, de cerámica o de madera— del dios que quisieran. Muchas de estas imágenes de barro se hacían por medio de moldes. Un agricultor podía comprar pequeñas imágenes de Chac, el dios de la lluvia, fácilmente reconocible porque tenía una larga trompa por nariz. Sus ojos tenían forma de T, como de lágrimas en el momento de caer. El agricultor colocaba estos dioses de barro en el suelo, confiando que le ayudarían a producir la lluvia necesaria.

La imagen más hermosa de todas, por lo menos así la consideraban los agricultores, era la de Yum Kax, el dios del maíz. Estaba hecha de manera que representaba al dios muy joven, con su tocado formado por una planta de maíz que brotaba, y aparecía sosteniendo una vasija en la cual había una planta florida. Las imágenes de barro de este dios siempre se ponían en el suelo de los nuevos campos de maíz.

También había gran demanda del dios de los viajeros. Todo el que transitaba por los caminos —y en esta ocasión todos estaban en ese caso— llevaba consigo la imagen del dios de la Estrella del Norte en su pequeña bolsa de red. Protegía a todos los viajeros.

La sección más activa y ruidosa de la plaza era el mercado de esclavos. El alboroto se debía a que los poderosos, los comerciantes y los capitanes, licitaban por ellos. Los esclavos, llamados *penta*, estaban en el peldaño más bajo de la escala social. En el mercado se sentaban con las manos atadas por detrás, con el pelo trasquilado.

De esa manera siempre los representaban los libros mayas que referían historias de guerra y de captura de esclavos. La mayor parte de los *penta* eran mayas que habían sido capturados en la guerra, porque los mayas siempre luchaban, siempre estaban luchando entre sí, una ciudad contra otra, una provincia contra otra.

Cuando un guerrero capturaba a un enemigo en la batalla, el aprehendido se convertía en su propiedad personal. Podía utilizarlo para trabajar o venderlo. En su mayor parte, los esclavos eran mayas, pero a veces pertenecían a otras tribus, y éste era el caso cuando se les capturaba

81

en una batalla. Los hombres también se convertían en esclavos debido a crímenes cometidos. Robar se consideraba como un crimen grave. Se suponía que toda la gente que vivía en clanes tenía la misma sangre, y se consideraba como parte de una sola familia grande. Sus casas no tenían puertas. Cuando alguno robaba algo perteneciente a otro, inmediatamente era juzgado como antisocial. Si el crimen era pequeño, podía pagar el importe de lo robado con trabajo. Si el hombre volvía a robar, era llevado al mercado de esclavos, porque los mayas no tenían cárceles.

Si un hombre mataba a otro, aunque fuese por accidente, tenía que pagar con su propia vida. Si había ofendido a los dioses, se le sacrificaba. La justicia maya era expedita y definitiva.

Los grandes comerciantes demandaban esclavos, pues los necesitaban para transportar sus artículos comerciales o para utilizarlos como remeros de sus canoas. Los comerciantes, que llevaban consigo altas varas gruesas de camino, estaban allí en gran número. Unos ayudantes los abanicaban con grandes abanicos de plumas. Había muchas moscas, porque los comerciantes se untaban el pelo con un aceite aromático y espeso que atraía a los insectos.

Cuando había sido examinado un esclavo y se consideraba que serviría para desempeñar un trabajo pesado, el comerciante pagaba su precio en almendras de cacao. El sirviente del comerciante llevaba un *hotem*, o sea una bolsa atada a la cintura, que contenía almendras de cacao. Contaba cien de estas almendras, porque éste era el precio de un esclavo. Un hombre podía pagar con almendras de cacao todo lo que quisiera comprar. De este modo el chocolate, o *ha*, servía a los mayas de bebida y de moneda a la vez. Cuando un maya recibía chocolate en forma de almendras de cacao tenía buen cuidado de apretar y de frotar fuertemente cada almendra porque algunos indios hacían dinero falso quitando la piel dura y llenándola de arena. Esto se consideraba como un crimen grave.

Ese día se enjuiciaba a un indio por tratar de hacer circular falsas semillas de cacao como si fueran auténticas. Dentro de una de las casas de piedra labrada, a un lado

del mercado, estaba sentado el indio con las manos atadas a su espalda. Sobre un estrado cubierto con una estera tejida estaba sentado el juez. Escuchó a ambas partes en conflicto: al hombre que había recibido el dinero falso y al que lo había entregado. Si se le encontraba culpable, quien había entregado el dinero sería convertido en esclavo. Si lo hacía circular sin saber que era falso, tendría que pagar al ofendido.

Por la tarde terminó el mercado. Los mayas plegaron los blancos toldos, recogieron los productos que no habían vendido y se encaminaron en dirección de la gran pirámide.

Para entrar a la plaza sagrada tenían que pasar por un lado del Templo de los Guerreros. En su base tenía muchas columnas cuadradas, con figuras labradas que representaban guerreros erectos, con escudo y lanza. Cubrían todo esto bajo un techo formado por grandes vigas de madera labrada y pintada con representaciones de escenas guerreras del pasado. Esto llevaba al Templo de los Guerreros.

Había escaleras a los lados de la pequeña pirámide aplanada, que conducían a la parte superior, donde había un templo. En la puerta había inmensas serpientes de piedra, con las bocas abiertas y pintadas de verde y rojo. Los gruesos cuerpos de piedra se elevaban seis metros en el aire, y en su cumbre estaban los cascabeles de una serpiente.

Frente a este templo, en la plaza, se erguía la pirámide más alta de Yucatán. Era tan grande que todo lo demás parecía minúsculo a su lado. Ah Tok había oído hablar de la pirámide de Kukulkán durante toda su vida. Ahora estaba a la sombra de ella. Una gran pirámide, de más de treinta y cinco metros de altura, recubierta de piedra hermosamente tallada. Había cuatro amplias escalinatas que daban frente a cada uno de los puntos cardinales: norte, sur, oriente y poniente. Cada una tenía noventa y un escalones y a sus lados, desde el fondo hasta lo alto, estaban unas inmensas serpientes de piedra, semejantes a las que tenía el otro templo. Sus cuerpos formaban el barandal de la escalera.

Ah Tok se dio cuenta de que los peldaños de la escalera de piedra eran tan altos que no podía subirlos sin valerse de las manos. Esto, por supuesto, no estaba permitido. Los indios mayas tenían que trepar por la escalera erguidos, sin detenerse y sin utilizar sus manos. En la cúspide de la pirámide, estaba el templo sagrado. Ah Kuat decía que dentro de esta pirámide había otra, más antigua.

La ciudad de Chichén Itzá era muy antigua. La gente había venido primeramente hacia ella atraída por sus grandes pozos. Algunos decían que fue fundada en 452. Después, por alguna razón desconocida, había sido abandonada. En el siglo décimo, los itzaes habían venido desde México. Pertenecían a un pueblo diferente. Cuando llegaron a este lugar lo encontraron desierto, pero muchos de los viejos edificios todavía estaban en su lugar, de modo que reconstruyeron la pirámide.

Posteriormente, entre los años 987 y 1185, los toltecas también vinieron de México a Chichén Itzá. Ésta fue la época de Kukulkán, el gran legislador que fue además el dios del viento. Ordenó reconstruir una vez más la pirámide. Y la nueva construcción fue sobrepuesta a la antigua. En su honor el pueblo la llamó Pirámide de la Serpiente Emplumada.

Pero como la gente siempre recordaba las cosas antiguas, los constructores le pusieron en su interior una escalera secreta. Ah Kuat oyó decir que dentro de ella había una cámara oculta, la sala del Trono del Jaguar Rojo. Allí había una figura de jaguar de tamaño natural, tallada en piedra. Estaba pintada de rojo brillante. Las manchas de su piel, según se decía, estaban constituidas por setenta y tres discos de jade pulido.

Los juegos comenzaron por la tarde. Había en Chichén Itzá siete juegos de pelota, y en ellos se jugaba el *pok-a-tok*. En esa ocasión, en que se celebraba el festival de Kukulkán, el juego tenía lugar en la cancha grande. Aunque estaba llena de gente, ello no bastaba para hacer pasar a segundo término las dimensiones de la cancha.

Este gran juego de pelota se erguía al extremo oriental de la plaza. Los que deseaban ver el juego tenían que subir por las empinadas escalinatas para llegar a los asientos. Sólo cuando se tomaba asiento en las galerías de piedra, uno se daba verdaderamente cuenta de la enormidad del campo de juego. Tenía más de 160 metros de largo y más de sesenta y cinco de ancho. Cuando pudo apoyarse en el muro, Ah Tok se dio cuenta de que estaba a más de diez metros del suelo. Todo el juego era de piedra, y alrededor de su base había figuras de guerreros labradas en el mismo material. Los techos y los lados de los dos pequeños edificios donde tomaban asiento los jueces y los capitanes también estaban cubiertos de figuras talladas.

Pok-a-tok, el único juego que se jugaba en este lugar, era tan antiguo que nadie podía ponerse de acuerdo acerca de la fecha en que comenzó a practicarse. Ni siquiera el abuelo de Ah Tok, que parecía saberlo todo, pudo decir de dónde vino. Algunos pensaban que se había iniciado con la tribu olmeca, que vivía al norte de los mayas. En tiempos antiguos, hacía 1 500 años, ellos y los mayas habían sido enemigos mortales. Ahora los olmecas se habían ido, se habían extinguido. Pero en la tierra donde vivieron, en la selva húmeda y cálida, crecía el árbol del hule. Ellos lo llamaron *olli*, y la palabra "olmeca" quería decir "pueblo del hule". Tal vez esto era así porque tenían este mate-

rial. En verdad, fueron ellos los primeros que hicieron una pelota de hule para utilizarla en este juego.

Todo lo que el abuelo de Ah Tok sabía era que los mayas, así como otras tribus que vivían al norte, y al sur de su territorio jugaban *pok-a-tok*. Un maya de Tulum, que había remado en su canoa río arriba hasta algunos lagos interiores llamados Nicaragua, dijo una vez a Ah Kuat:

—Aún allá la gente juega este juego con pelotas de hule.

El *pok-a-tok* se jugaba con diez jugadores por lado. Vestidos con *ex* y sandalias, tenían también gruesos guantes y unas cubiertas protectoras en las caderas y en los codos. El objeto del juego era impulsar —con los codos o con las caderas— la pelota de hule a través de lo que algunos llamaban "canasta". Pero de ninguna manera se trataba de un canasta, sino más bien de una piedra grande y redonda. En el centro tenía un agujero redondo, de treinta centímetros de diámetro, apenas el tamaño preciso para que por él pasara la pelota de hule. La canasta de piedra estaba empotrada en el muro de piedra, a siete metros y medio sobre el campo de juego. Pero estaba colocada perpendicularmente, a fin de que fuera sumamente difícil hacer pasar la pelota por el agujero.

En las sombras de la tarde avanzada los jugadores iban hacia atrás y hacia adelante impulsando la pelota que brincaba lejos de sus manos. Ellos saltaban y la aventaban, tratando de hacerla pasar al través de la canasta de piedra. Naturalmente, todos los espectadores estaban excitados. Los hombres apostaban en favor de un equipo o de otro. Uno apostó diez esclavos contra otro; otros apostaron sus adornos de jade contra las orejeras de oro de otro. Algunos llegaron a apostar su propia casa. El abuelo de Ah Tok pensaba que era inmoral y absolutamente antimaya que los jefes hicieron esto en presencia de los indios comunes.

Pero era la costumbre.

Después del juego de pelota dieron comienzo los demás juegos. Había tantas cosas distintas en marcha al mismo tiempo dentro de la gran plaza que al principio no se sabía a cuál actividad prestar atención. Naturalmente, todos los miembros de la familia Chen parecían querer ver algo distinto de lo que deseaban los demás. Pero nadie quiso perderse la Danza de las Chirimías, principalmente porque ocupaba tanto espacio.

A un lado de la plataforma de los Cráneos los músicos tocaban un ritmo. Ah Tok nunca había visto tantos instrumentos juntos a la vez. Tres mayas tocaban el *tunkul*, el gran tambor vertical cuya altura llegaba hasta el pecho de quien lo tocaba. Otro tambor, que descansaba en el suelo, era en realidad un tronco hueco hermosamente labrado. Tenía dos lengüetas de madera, que eran golpeadas por palillos con la punta recubierta de hule. Otros músicos tocaban una especie de tambor hecho de concha de tortuga. Al ser golpeado con la palma de la mano, producía un sonido triste y quejumbroso.

Después estaban las trompetas. Eran de barro y muy largas, casi del tamaño del cuerpo de un hombre. Otros tocaban flautas, hechas ya sea de cañas o de los huesos de la pierna de venado. Otros músicos producían una música diferente con unas campanitas de cobre atadas a sus piernas y brazos. No tenían más que saltar y las campanitas emitían un sonido como de cascabeles. Algunos músicos tocaban matracas, calabazas grandes unidas a una vara larga. Dentro de las calabazas había semillas duras; por fuera estaban decoradas con listones. Ah Tok advirtió que no podía mantenerse quieto. Sus pies comenzaron a moverse al ritmo de la viva música.

La Danza de las Chirimías fue ejecutada por 150 indios que danzaban en un amplio círculo. La señal la dio el *holpop*, que estaba ostentosamente vestido con una manta tejida de color azul y rojo y que llevaba un tocado hecho de plumas rojas de guacamaya. Al mismo tiempo que juez del mercado, era el que conservaba los instrumentos musicales. Cuando dio la señal, todos los danzantes comenzaron a moverse rítmicamente al sonido del tambor. Asidos de los brazos, se movieron a su derecha como si formaran una gigantesca rueda que girara. Cada uno llevaba una lanza con punta de hule. El *holpop* emitió una señal golpeándose las palmas de las manos y dos danzantes salieron del círculo. Representaban al cazador y al cazado. Mientras el círculo de indios se movía, los dos que estaban en el centro comenzaron a saltar a fin de que el otro no pudiera apuntar con seguridad. Cuando uno arrojaba su lanza de punta de hule, el otro no sólo tenía que eludirla, sino que también se esperaba que la cogiera al vuelo mientras surcaba el aire.

Más tarde, la familia Chen fue, junto con la muchedumbre, hacia una plataforma de piedra que estaba a la mitad del camino entre el Templo de Kukulkán y el pozo de los sacrificios. Aunque tenía un nombre oficial, la mayor parte de la gente la llamaba plataforma de Venus, porque tenía tallados en sus lados los símbolos del planeta Venus. Era una plataforma cuadrada, de no más de tres metros de alto, con cuatro escaleras de piedra que conducían a su parte superior. En este lugar los mayas representaban sus comedias y obras teatrales.

Esa noche la gente deseaba estar alegre. El día de mañana sería solemne, pues era el día del sacrificio. Los señores mayas sabían que su gente estaba preocupada porque habían estado sucediendo muchas cosas en los últimos años. La peor de todas, por supuesto, era la sucesiva aparición y desaparición de los hombres blancos. Cada vez regresaban en mayor número y con mejores fuerzas. Los que leían los oráculos todavía no habían podido ponerse

de acuerdo acerca de quienes eran en realidad estos extranjeros. El día de mañana tratarían de encontrar la verdad
y pedirían a los dioses que les dieran una respuesta. Pero
hoy en la noche debía reinar la alegría.

Los actores estaban enmascarados, pues las personas encargadas de representar un papel teatral siempre usaban
máscara. Si un hombre representaba a un lirio acuático,
su máscara estaba hecha de manera que se pareciese a
dicha planta. A veces los actores representaban también pa-

peles muy serios. Si desempeñaban el papel de un dios, estaban enmascarados en la forma como los mayas se representaban a ese dios. Creían que cuando un hombre hacía el papel de un dios, él mismo era el dios. De modo que, para los mayas, la representación y la obra teatrales tenían un sentido religioso. Esa noche, los actores hacían pantomimas que se mofaban de las costumbres mayas. La comedia del cosechador de cacao siempre los hacía reír. Hacía burla de su avasalladora pasión: el chocolate.

Un actor apareció caracterizado como una planta de cacao. Su cuerpo parecía ser un árbol, y de su tronco colgaban vainas de cacao. Como chocolate que era, deseaba saber por qué razón la gente lo deseaba tanto; así que se encaminó hacia el mercado. La gente lo utilizaba como dinero. Un actor estaba enmascarado para representar a una mujer anciana. Ella tomó en sus manos las almendras de cacao, o dinero-chocolate, de otro actor que compraba algo. Como todos los mayas, la anciana frotó vigorosamente la almendra para convencerse de que la almendra era auténtica, y de que no era sólo la cubierta rellena de arena. Cuando hizo eso, de la piel de la almendra salieron unos insectos. ¡Cuánto se rió el auditorio cuando unos ratones recién nacidos salieron de otras almendras! Otros artículos diferentes y siempre inesperados continuaron saliendo de las almendras. De modo que el actor que desempeñaba el papel de árbol de chocolate agitó sus ramas en señal de desesperación y salió del mercado. A ésta siguieron otras comedias. Todas tenían como tema algún aspecto de la vida maya. Se divirtieron mucho con el *Parásito*, el *Fabricante de cerámica*, el *Vendedor de chile*...

Cuando Ah Tok y el resto de la familia Chen estaban listos para ir a descansar era tan tarde que tuvieron que guiarse con antorchas.

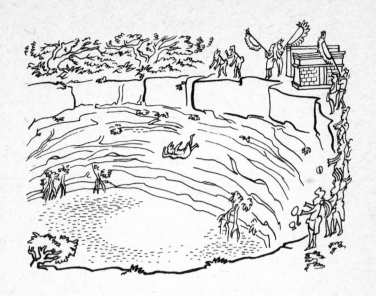

LA RESPUESTA ACUÁTICA

Los tambores batían. Habían comenzado a sonar antes de la aurora, cuando el firmamento todavía estaba oscuro. El batir se hizo cada vez más ensordecedor a medida que los tamborileros de los templos de todo Chichén Itzá comenzaron su faena. El ruido era lo suficientemente fuerte como para despertar por igual a dioses y hombres. Ayer había sido un día alegre, con mercado y juegos, con comedias y representaciones teatrales y una procesión de bufones. Hoy era algo diferente. Era el día del sacrificio del agua.

Hacía meses que no había llovido. Por alguna razón, Chac, el dios de la lluvia, les había retirado el don de la lluvia. Pero lo más grave de todo era el ir y venir de los hombres desconocidos, los hombres barbados. Como todos los indios, los mayas temían a lo desconocido. Les inspiraba desconfianza. Muchos creían que la falta de lluvia y la llegada de los hombres extraños era algo relacionado entre sí. Quizá no se había dado a los dioses lo que querían.

Los dioses crearon y controlaban el mundo. Ellos no daban espontáneamente la lluvia, el sol o las plantas a los hombres. Tenía que pedírseles lo que se necesitaba, y para conseguirlo, los hombres tenían que ofrendar a los dioses algo en sacrificio: debían quemar incienso o dar comida o, lo que era mejor que todo eso, derramar sangre humana para ellos. Y los dioses les otorgarían los dones cuyo goce les habían retirado: la lluvia, el sol o la abundancia.

Ah Tek sabía que todo esto era cierto. En una ocasión, cuando estaba a punto de matar a un pavo silvestre con una flecha, le dijo a media voz al dios de los animales que le había hecho una ofrenda de incienso. Le recordó al dios lo que había hecho, de modo que éste le permitiera entonces matar al pavo. Y así fue.

El máximo sacrificio que un maya podía hacer a los dioses era la vida humana, siempre que, por supuesto, la vida ofrendada fuera la de alguien aparte de uno. Era muy importante que el que iba a morir se diera cuenta del gran honor que significaba entregarse a los dioses. Si hacía alharaca con motivo del sacrificio, ello atraería muy mala suerte. Los dioses pensarían entonces que los otros indios no querían darlo en sacrificio o que el que estaba a punto de ser sacrificado se enfrentaba a su sino de mala voluntad.

Ese día la única persona sacrificada sería una muchacha. Durante varias semanas se le habían dado las mejores comidas; se le había atendido como si fuera la esposa del jefe. Se le dieron las mantas más finas; así como joyas de jade, oro y turquesa. Uno de los poderosos *batabs*, el gobernador de Chichén Itzá, la daba en sacrificio. Lo hizo de mala gana, porque separarse de ella le causaba un gran pesar. Pero tenía que hacerse. Los dioses debían dar una respuesta a las cosas que preocupaban a todos.

El sol alumbraba el firmamento. Millares de personas comenzaron a reunirse en la plaza. Directamente al frente, esto es, al norte de la pirámide que tenía escaleras en sus cuatro lados, estaba el camino sagrado. Tenía diez metros de ancho y doscientos setenta de largo. Su superficie se blanqueaba todos los días con cal con el fin de que estuviera siempre limpia y brillante.

Este *sacbé* ceremonial conducía al cenote de Chichén Itzá, el pozo natural de mayor tamaño de Yucatán. Todos, incluyendo los peregrinos que iban a esta ciudad sagrada o los que habían visitado el mercado el día anterior, estaban alineados a lo largo del camino.

Debido a que Ah Kuat era conocido de algunos personajes de la ciudad, la familia Chen pudo obtener un lugar cerca del borde del cenote. Era uno de los mejores lugares.

La procesión llegó por el camino. Iban primero los que llevaban el incienso. De unos incensarios que sostenían frente a ellos brotaba el humo espeso, elevándose hacia el aire silencioso. Era el olor de los dioses. Después venían los sacerdotes, que llevaban túnicas nuevas hechas de papel de corteza, el mismo material que se utilizaba para hacer los libros mayas. La única decoración que llevaban en las túnicas que les llegaban hasta los tobillos era una ·hilera de conchas brillantes cosidas a la bastilla.

A los sacerdotes seguían los gobernantes de Chichén Itzá, que eran transportados en literas a hombros de los indios. Después venía la muchacha. Su cuerpo estaba pintado de azul, porque éste era el color del sacrificio. Se le llamaba "azul maya" debido a que a los mayas les gustaba pintar con él las paredes de sus casas.

Después de recorrer la distancia del *sacbé* sagrado, llegaron al borde del pozo natural. Era circular, y tenía sesenta metros de diámetro. Sus bordes de piedra caliza habían caído hacia adentro con el transcurso del tiempo, y ahora sus lados cubiertos de hiedra eran casi verticales. Sobre ellos se asomaban los árboles, y grandes iguanas de larga cola verde corrían arriba y abajo por sus lados.

El agua yacía veinte metros bajo la superficie. Su color verde pálido oscurecía el fondo del pozo, diez metros por debajo del nivel del agua.

Cuando Chichén Itzá fue fundada en 452, el pozo se utilizó para sacar de él agua para beber. Después la ciudad fue abandonada durante cuatrocientos años, y cuando la habitaron de nuevo el agua ya no volvió a ser límpida. Probablemente se volvió de color verde debido a las algas que contenía, las cuales, por supuesto, nunca fueron quitadas de ahí. De modo que este pozo ya no se utilizaba para sacar de él agua para beber, y se convirtió en el pozo de los sacrificios. La gente de Chichén Itzá utilizaba otro cenote, Xtoloc, para tomar de ahí el agua que consumía. Estaba situado en la parte antigua de la ciudad y para llegar hasta el agua se construyeron dos escaleras de mampostería apoyadas en sus bordes.

En el borde mismo del pozo de los sacrificios había un templo pequeño que tenía varios cuartos. En uno de ellos se producía humo de incienso, que salía por un hoyo hecho en la pared. En la orilla del cenote los albañiles habían tallado asientos en la roca viva.

Los tambores comenzaron a batir un triste y lento ritmo cuando los sacerdotes, con los brazos en alto, pidieron a los dioses una respuesta. ¿Por qué no llovía? ¿Quiénes eran esos extraños que venían a sus tierras? ¿En qué forma deberían los mayas tratar con los extranjeros? ¿Darían los dioses la respuesta?

La muchacha que iba a convertirse en mensajero para los dioses fue despojada de sus joyas y de sus finas ropas. Cuando fueron atados sus brazos y sus piernas, dos sacerdotes la tomaron por los miembros y comenzaron a balancearla hacia atrás y hacia adelante, y en un momento en que el impulso la colocaba del lado del pozo, la arrojaron al agua. Su cuerpo describió un arco en el aire, cayó al agua y desapareció. Un gran alarido partió de las gargantas de la gente ahí reunida. Todos los presentes tomaron algo de lo que más estimaban —un collar de jade, un trozo de oro, un hacha de cobre— y lo arrojaron al agua del cenote.

Entonces se dispersó la enorme muchedumbre. Se fueron tan silenciosamente que lo único que podía escucharse era el rumor apagado y rítmico que hacían sus pies. Parecía como si lloviera suavemente.

Más tarde, en el transcurso del mismo día, Ah Tok comenzó a hacer preguntas a sus mayores. Mientras empacaban sus cosas para regresar a Tulum, pasó todo el tiempo preguntando a su padre o a su abuelo —según el que estuviera en disposición de oírle— qué era lo que había pasado. ¿Cómo harían los sacerdotes para conocer la respuesta? ¿Cuándo se produciría?

Más tarde, le dijeron, al venir la oscuridad, los sacerdotes descenderían hasta el nivel del agua en el cenote para buscar a la muchacha sacrificada. Si estaba todavía viva, obtendrían de ella una "respuesta acuática". Las palabras que pronunciara servirían a los sacerdotes para predecir el futuro.

Y ¿qué pasaba si ella no venía a la superficie? ¿Qué sucedería si hubiese muerto y no regresara a la superficie?

Nadie tenía una respuesta a esta pregunta, pero todos sabían que un acontecimiento así significaría un presagio funesto para todos los mayas.

Ah Tok se dio cuenta entonces de la multitud de cosas que había que aprender en esta vida. Había tantas costumbres que recordar, tantos rituales que comprender.

Más tarde, la mayor parte de la gente pareció enterarse de la respuesta al mismo tiempo. La familia Chen, cargada con las cosas nuevas que habían adquirido en el mercado, estaba a medio camino de su casa cuando se enteró de las terribles noticias.

La muchacha que había sido arrojada al pozo en Chichén Itzá no regresó a la superficie. No se había obtenido ninguna respuesta de los dioses.

Los sacerdotes hicieron la profecía... Pronto los mayas se enfrentarían a terribles acontecimientos.

DE NUEVO LOS "HOMBRES BARBADOS"

La vida parecía transcurrir en Tulum como siempre había
sido. La gente iba a trabajar en los campos de maíz. Las
esposas y las hijas que había en cada casa continuaban
tejiendo las prendas destinadas al uso de todos los miembros de la familia. La gente trabajaba con entusiasmo. Pagaban sus impuestos con productos o con trabajo. El comercio continuaba su curso, y la vida también.

Sin embargo, en la familia de Ah Tok la vida no era
igual. Ah Kuat, el sabio abuelo, se había puesto muy enfermo al regresar la familia de Chichén Itzá, hacía varios
meses. Tenía ochenta años, edad increíblemente grande para los mayas. Como era *chac*, Ah Kuat había visto muchas
cosas, y leído otras más. De modo que cuando cayó enfermo, supo que la muerte se abatía sobre él.

Los mayas creían que toda enfermedad era producida

por alguien que había puesto un hechizo sobre el enfermo. También se pensaba que los vientos traían las enfermedades.

La familia Chen había mandado llamar al *ah man*, que era al mismo tiempo curandero y hechicero. Se suponía que tenía poder para hacer desaparecer la enfermedad, y también se le consideraba con poderes para enviar la enfermedad a alguna otra persona. Este médico brujo llegaba a la casa de la persona enferma con su atado de fetiches. De él sacaba un ídolo que representaba a Ixchel y lo ponía junto al enfermo. En su atado traía también una quijada de tapir, algunas hierbas y las aletas de la cola de un manatí. Después de perfumar la casa con incienso, soplaba humo de tabaco sobre el paciente. Después sacaba su *am* del atado, que eran seis piedras mágicas; las hacía rodar por el suelo como si fueran dados y ponía la nariz junto a ellas para "leer" lo que decían. Se creía que según la disposición en que quedaban después de rodar revelaban el curso de la enfermedad. A los médicos brujos no les gustaba intentar curar una enfermedad a menos que tuvieran la seguridad de alcanzar éxito. Si el enfermo moría, la familia podría pensar que el médico debería morir también para acompañar al hombre que ayudaba a pasar al otro mundo.

Los curanderos tenían toda clase de plantas y de hierbas que usaban también para ayudar a sanar. Pero Ah Kuat estaba más allá del alcance de todas ellas.

Después vino un sacerdote llamado *pocam*. Le habían llamado para escuchar la confesión del moribundo. Esto era importante. Si sabía algo acerca de lo que le originaría la muerte, debía decirlo. Debía confesarse, pues de no ser así otros miembros de la tribu también podrían morir. Después de morir Ah Kuat iría a alguno de los trece cielos o de los nueve infiernos que componían el inframundo maya. Pero en la medida en que hubiese observado el sistema maya de vida —esto es, en que hubiera hecho lo que las costumbres decían que debía hacerse—, a su muerte iría a permanecer bajo del "primer árbol del mundo". Y allí podría beber todo el chocolate que deseara.

El lugar real del inframundo a donde uno iba después de la muerte dependía en realidad de lo que hubiese hecho en vida. Los guerreros y las madres iban al primer cielo. Los pescadores iban a un cielo especial para ellos. Los que se privaban de la vida iban a un cielo específico; los suicidas tenían también su propia diosa, Ixtab, que siempre era representada en la figura de una mujer colgando de una cuerda colocada alrededor del cuello.

Finalmente murió Ah ·Kuat. Su cuerpo fue envuelto en una mortaja hecha con su propia manta de algodón. La familia colocó un poco de maíz molido y unas cuentas de jade en la boca del muerto. —Esto se hace —le explicaron a Ah Tok—, a fin de que pueda utilizar el jade como dinero. En esa forma no carecerá de recursos para comprar algo que comer en la otra vida.

Se cavó la tumba en el piso de barro de la casa, y el abuelo muerto fue puesto dentro de ella. En la tumba colocó la madre de Ah Tok un hermoso plato lleno de tortillas, y otra gran vasija llena de *balché*, el vino del país. También se pusieron junto al muerto algunos de sus libros, los libros llenos de pinturas y símbolos en los que los mayas leían su historia. Cuando morían otros hombres, recibían un tratamiento similar. Si el muerto había sido pescador, se enterrarían con él sus redes y sus arpones. Si había sido un gran guerrero, descansarían junto al muerto sus escudos, sus lanzas y sus tocados.

La razón de esto se le explicó en la siguiente manera: "No deben estar con las manos vacías en la otra vida."

Los grandes jefes, por supuesto, eran enterrados en forma distinta. Cuando moría un famoso *halach uinic* en Chichén Itzá, lo enterraban en el templo. Llevaba consigo su jade, sus perlas y su oro. En su tumba eran sacrificadas mujeres para que le sirvieran en el otro mundo. Las cenizas de los que habían sido capitanes famosos en la guerra eran depositadas en jarras de gran tamaño. Éstas se hacían de tal manera que la forma de cabeza de la jarra se pareciese a la cara del capitán cuando vivía.

Todos los miembros de la familia de Ah Tok acabarían por ser enterrados en el suelo de su casa. Cuando todo el espacio disponible estuviese lleno de tumbas, el resto de la familia se cambiaría de casa y construiría otra en alguna otra parte. La casa vieja se convertiría entonces en santuario familiar. Ah Tok sabía esto muy bien. Su abuelo había ido en peregrinación, con frecuencia, a la ciudad en ruinas de Mayapán, donde yacía enterrada la familia Chen. Allí el viejo Ah Kuat rendía homenaje a sus antepasados.

En el mes de Pax, que para los mayas era el mes de la guerra, volvieran los hombres blancos. En el año de 1518, la gente de Tulum supo de ello por unos indios que precisamente acababan de llegar, en sus canoas impulsadas a remo, de la Isla de Cozumel. Ahora los extranjeros venían en cuatro grandes barcos llenos de hombres barbados y con unos extraños animales que llamaban "caballos". Después de informar a los habitantes de Tulum, los indios remaron rápidamente hacia el sur para llevar la noticia a la gente que vivía en la siguiente provincia.

Al día siguiente, el *nacom*, o capitán de la guerra de la provincia de Chetumal, llegó a Tulum. Traía más de cincuenta canoas, con cuarenta guerreros cada una. Estos indios venían pintados para la guerra, pues sus cuerpos estaban cubiertos de anchas rayas de color rojo y negro. Portaban lanzas y arcos, cuernos y conchas de caracol que servían como trompetas.

Desde la bahía de Tulum lo transportaron en una litera hasta la pequeña plaza. Descendió frente al templo principal y ascendió por la escalinata para encontrarse con el gobernador de Tulum. Este capitán de la guerra no era común y corriente. Tenía los ojos azules, y la barba larga y rubia. Pero, a semejanza de los indios, llevaba el cuerpo pintado; sus orejas habían sido perforadas y en las perforaciones llevaba orejeras de jade. Su nariz estaba agujerada, al estilo de los mayas, y a través del agujero llevaba el hueso de un capitán enemigo al que había dado muerte en el campo de batalla.

Este extraño *nacom* les hizo saber que los hombres blancos que estaban en Cozumel no eran dioses. Eran hombres, precisamente como los mayas. Venían en busca de mujeres, de oro, de esclavos, en son de conquista. Por supuesto podían dar muerte a los demás, pero también podían recibirla. No eran dioses; eran castellanos. ¿Cómo lo sabía?

Pues las sabía porque era uno de ellos. Porque el capitán de la guerra de la provincia de Chetumal era el famoso Gonzalo Guerrero. Los mayas de la región conocían su historia. Cuando fue capturado por los mayas se convirtió en esclavo. Pero como era sabio en las cosas de la guerra, había peleado y ganado muchas batallas, y los mayas de Chetumal lo habían hecho su capitán. Hablaba la lengua maya, se casó con una mujer maya y tenía hijos mayas. Llevaba la cara tatuada como los mayas y oraba a los dioses mayas. Era un maya.

Una vez más, como lo habían hecho con tanta frecuencia en los años pasados, los mayas debían convertirse en soldados. Aunque en realidad eran pocos los mayas que por lo regular no desempeñaran otra clase de trabajo, cuando la guerra llegaba a sus tierras, los hombres mayas también eran soldados. Sus armas siempre se conservaban en la casa, listas para ser usadas en cualquier momento.

Todo aquel que estuviera en condiciones de luchar debía alistarse para la guerra. Los muchachos que por su edad todavía no podían ser soldados irían a la batalla como transportadores de armas. Su deber consistía en abastecer de lanzas a los lanceros y de flechas a los arqueros.

En el transcurso de cinco días, los ejércitos mayas, formados por todos los que habían suscrito tratados de alianza, llegaron a Campeche. Para llegar a esta ciudad, que estaba en línea recta en dirección de Tulum, utilizaron los caminos *sacbé*. Se viajaba más rápidamente por un *sacbé* que a bordo de una canoa.

Champotón (entonces llamado Chakampoton, estaba a la orilla del mar. Los edificios de esta gran ciudad maya estaban construidos tan cerca del mar como los de Tulum. A corta distancia de la costa había una pequeña isla sobre la cual podía verse una gran pirámide, blanca y resplandeciente, tal como la había descrito el anciano Ah Kuat. Fue edificada para conmemorar la partida de Kukulkán de la tierra de los mayas al volver a México.

Más allá de la pequeña isla estaban cuatro barcos anclados, los barcos de los hombres barbados. A Ah Tok no le parecieron tan grandes vistos desde donde los contemplaba. Sólo cuando las canoas se acercaron a ellos se dio cuenta de que los barcos de los extranjeros eran muchas veces más grandes que las canoas de los mayas.

Más de cincuenta canoas de guerra comenzaron a rodear a los barcos. Entonces se produjo un ruido como el trueno y un resplandor de fuego, y una de las canoas se volteó. Los indios arrojaron sus flechas, haciendo que los barcos parecieran un puercoespín con sus púas erizadas. A bordo de los barcos, los hombres blancos tenían a dos indios que habían capturado un año antes. Estos dos cautivos comenzaron a hablar en su propia lengua a los guerreros que iban en las canoas. Dijeron que los hombres barbados venían de una tierra que era más grande que Yucatán y que su rey era muy poderoso. No deseaban hacer ningún daño a los mayas, y sólo les pedían permiso para llegar hasta la costa para abastecerse de agua dulce.

En esa forma los castellanos llegaron hasta la costa.

A los mayas se les dieron instrucciones acerca de cómo proceder. Les ayudaron a encontrar el agua. Pero los guerreros mayas se reunieron en la espesa selva. Todo esto formaba parte del plan que había elaborado el *nacom* Gonzalo, que era el jefe de las armas mayas, quien se sentó, contemplando a sus antiguos compatriotas.

Los guerreros mayas se dividieron en grupos. Cada grupo tenía una insignia, una bandera hecha de plumas. Sobre ella estaba el símbolo de su propia tribu.

Primero estaban los arqueros. Éstos usaban un gran arco, llamado *chulul*, casi tan alto como ellos mismos. Como tenían que utilizar ambas manos para manejarlo, no usaban escudo. En cambio, llevaban una cubierta protectora parecida a las armaduras. Era una chaqueta de algodón acolchado hecho con fibras fuertes que habían sido puestas a remojar en salmuera durante muchos días para endurecerlas; era tan fuerte que las flechas no penetraban por ella. Esta chaqueta, el *euyub*, les cubría el pecho y todo el brazo izquierdo, el brazo de los arqueros.

Los lanceros llevaban una cubierta del mismo material que los cubría desde el cuello hasta los tobillos. Sus cascos, hechos de cuero de tapir o de madera, estaban decorados con cabezas de animales. Sus largas lanzas tenían una aguda punta de pedernal con filo tan cortante como si fuera navaja. Usaban un lanzadardos, un aditamento de madera dentro del cual se adaptaba la lanza para imprimirle mayor fuerza al arrojarla. Cada lancero llevaba diez o más lanzas, y Ah Tok y los demás jóvenes encargados de llevar las armas tenían que abastecerlos de nuevas lanzas en el desarrollo de la batalla.

Les seguían en el orden de batalla los que usaban espada, que se presentaban a la lucha en escuadrones cerrados. Éstos tenían espadas de madera largas y planas, cuyos bordes eran de obsidiana. Esta piedra volcánica negra adquiría un filo como de navaja de afeitar; en realidad, los mayas las utilizaban como tales. Por esa razón esta espada era particularmente efectiva en el combate cuerpo a cuerpo.

Los que usaban espada invariablemente llevaban escudo; algunos estaban hechos de la gran concha de la tortuga marina, otros estaban cubiertos con la gruesa piel del tapir o del manatí.

Después venían los que manejaban la honda, o *yuntun*. Ésta era una sola pieza larga de algodón tejido, cuyos extremos se sostenían en la mano. En el centro, en el lugar de mayor anchura de la pieza, estaba el lugar destinado a contener la piedra. Los honderos hacían girar el *yuntun* alrededor de sus cabezas, soltaban uno de los extremos y la piedra —del tamaño de un huevo de pato— iba recta y veloz hacia su objetivo.

Había también otras armas. Los indios de mayor edad, que ya no podían luchar con espada o con lanza, llevaban avispas. Los nidos de avispas, más grandes que una de las pelotas de hule utilizadas en el juego *pok-a-tok*, estaban envueltos en tela fuerte. Se podía escuchar a las avispas, enojadas y ruidosas, zumbar dentro de la tela. Los nidos de avispas se lanzaban en los lugares de retirada que utilizaban los indios que se negaban a presentarse al combate.

Ahora era el momento de la emboscada. Todo estaba tranquilo, porque ésta era la guerra que mejor sabían utilizar los mayas: la sorpresa. El *nacom* envió adelante sus exploradores, que recibían el nombre de "comadrejas de los caminos", porque avanzaban en silencio y se mantenían muy cerca del suelo.

Los castellanos vieron a los indios. Se formaron en cuadro... y esperaron. Ahora los indios hicieron sonar sus caracoles y sus trompetas de barro. Los honderos soltaron un diluvio de piedras que producían un ruido como de campanadas al chocar contra las armaduras y los cascos de acero. Los que no llevaban casco y fueron alcanzados en la cabeza, cayeron. Bajo la lluvia de piedras, los lanceros se arrastraron rápidamente hacia adelante. Tan pronto como ponían una rodilla en tierra echaban hacia atrás los brazos. El aire se llenó de pronto con el ruido de las lanzas que zumbaban a través del espacio. Muchos de los enemigos murieron, y otros tantos quedaron heridos. Tan pronto como los lanceros arrojaban una lanza, se arrastraban de nuevo hacia adelante y lanzaban otra más.

Fue entonces cuando los castellanos contestaron, disparando armas de las cuales Ah Tok había oído hablar, pero nunca había visto. Sonaban como el estallido del trueno, y al ruido seguía un fogonazo. Muchos indios cayeron instantáneamente hechos un ovillo, pero el enemigo no podía cargar sus "palos de trueno" con la misma rapidez con que los indios podían arrojar sus lanzas. Y luego entraron en acción los arqueros. El aire se llenó con el agudo zumbar de las cuerdas de los arcos.

Los castellanos no pudieron resistir el ataque, porque sólo eran doscientos hombres contra miles de mayas. Cuando se retiraron, los que llevaban espada se apresuraron para entrar en acción cuerpo a cuerpo. Pero los hombres blancos también eran valientes. Sus espadas eran de metal y más largas, y sabían cómo usarlas. Muchos guerreros mayas murieron decapitados.

Los mayas no retrocedieron. En ese momento, los indios descubrieron al hombre que era el capitán de los hombres blancos. Era alto, de ojos azules y usaba barba corta y rubia. Aunque había sido herido en la boca y la sangre corría por un lado de su armadura de metal, seguía en la lucha y dirigía a sus hombres en la batalla.

Los indios comenzaron a gritar: "¡*Halach uinic*! ¡*Halach uinic*!" Se sirvieron del nombre de su jefe supremo porque para ellos el herido era, ciertamente, el *halach uinic* enemigo. Y los mayas querían capturarlo vivo. Siempre trataban de capturar vivo al jefe del enemigo. Como el *nacom* siempre iba a la batalla vestido lujosamente, no podía ser tomado por nadie más. El objetivo era capturarlo, porque los mayas creían que una vez que el jefe era atrapado, los guerreros perdían la confianza. Los guerreros, al verse privados de su jefe, pensaban que los dioses favorecían a sus enemigos y que por lo tanto ya no podrían ganar. De modo que abatían sus escudos y escapaban. Cuando un indio se colgaba el escudo a la espalda y arrastraba su lanza se le llamaba *cuch chimal*, lo que significaba "rendición". Los mayas también acostumbraban usar esa palabra como "cobardía".

Pero en esta ocasión los mayas no fueron cobardes. Avanzaron para capturar al capitán de los hombres blancos. Muchos murieron. Pero los demás persistieron en su empeño. En ese momento los castellanos utilizaron sus caballos, animal que ninguno de los guerreros mayas conocía, excepción hecha del *nacom* Gonzalo. Los hombres que montaban caballos usaban largas lanzas, y cargaron sobre los indios, rodeándolos antes de que pudieran escapar. Algunos que no fueron muertos o heridos por las armas fueron derribados y pisoteados por los caballos. Porque éstos eran caballos de guerra que habían sido adiestrados para la batalla, para pisotear a los enemigos de su amo bajo los cascos. Teniendo presente esta circunstancia, el sabio *nacom* había ordenado a los mayas levantar barreras de troncos, y excavar zanjas dentro de las cuales colocaron agudas estacas. Los indios que pudieron, corrieron tras de la barricada y los caballos cayeron en la trampa.

Un nuevo sonido llenó el aire: el sonido de la trompeta castellana. Se parecía a la trompeta maya, pero era de metal. La nota larga que emitió significaba "retirada". Los hombres blancos comenzaron a retroceder sin dejar de combatir a los mayas, que los seguían camino de la playa. Los indios gritaban; sus trompetas de caracol sonaban mientras cargaban sobre el enemigo que huía.

Arrojándose dentro de sus pequeños botes, los hombres blancos que no pudieron encontrar acomodo en el interior de ellos, se colgaban de las bordas y así se entraron en el mar. Ahora sus barcos de guerra levaron anclas y comenzaron a disparar los grandes cañones con que estaban armados. Pero ni siquiera esto detuvo a los mayas. Aunque muchos murieron, continuaron la lucha. Porque los hombres con quienes combatían eran los hombres "blancos y barbados" que habían constituido la obsesión de sus vidas durante todos estos años. Los indios estaban frenéticos con la sensación de la victoria. Algunos entraban al agua y disparaban sus lanzas; otros nadaban detrás de los botes, llevando en sus bocas agudos cuchillos de pedernal para usarlos contra el enemigo que escapaba.

Ahora les llegó su turno a los dioses. Los blancos que tuvieron la mala suerte de ser cogidos vivos fueron llevados a la ciudad de Champotón. Sus manos fueron atadas a la espalda; sus cuerpos pintados de azul. Ellos sabían cuál sería su destino. Los dioses mayas habían dado la victoria a su pueblo. Ahora los mayas debían agradecer a sus dioses y darles los ofrendas que según pensaban preferían.

Los guerreros mayas estaban orgullosos de lo que habían hecho. A los que habían capturado vivo algún enemigo se les permitió llevarse parte de él como trofeo. Después de hervir la cabeza de su víctima y de eliminar toda la carne, el guerrero maya tomaba la quijada del muerto y la ataba en su brazo. A los ojos de quienes usaban estos trofeos, estos guerreros se consideraban como muy valientes. Bebieron mucho *balché* en las fiestas que se hicieron en su honor.

Ahora su *nacom* les dijo unas palabras de advertencia. Gonzalo les dijo que los castellanos, aunque eran pocos en número, volverían. Los hombres blancos eran muy valientes y muy tenaces. De modo que ahora todos los indios tenían que trabajar en sus obras de defensa. Si permitían que el enemigo llegara con sus caballos a tierra firme, derrotaría a todo un ejército maya. No importa cuán valientes fueran los mayas, serían derrotados. Era algo que había que recordar.

Y los hombres blancos regresaron el año siguiente, en el mes de Ceh, el mes del Fuego Nuevo: febrero de 1519, según el calendario de los españoles. Poco antes de que esto sucediera, Ah Tok había llegado a la edad de diecisiete años y había hecho planes para casarse. Porque entonces era el tiempo de 2 Ahau 8 Zac, y este año había sido señalado como el "año afortunado" de Ah Tok.

Después de la grave derrota que sufrieron los "hombres barbados" nadie esperaba que regresaran tan pronto. De modo que el padre de Ah Tok, el *tupil*, había arreglado el matrimonio de su hijo con una chica muy hermosa llamada Ix Cakuk. Habían acudido ante el sacerdote, quien les leyó el *Libro de los días*.

Los mayas creían que toda la vida estaba influida por las estrellas y los planetas. Había días de buena suerte y días de mala suerte. De modo que los sacerdotes tenían que considerar si el día en que nació Ah Tok era un buen día para Ix Cakuk, y si no se oponía con el de ella. Y el sacerdote pensaba que el nacimiento de él no se oponía al de ella, y que el nombre de ésta era bueno. Los nombres se consideraban entre los mayas como algo muy importante. Al nacer se imponía un nombre a todos, el *paal*. El prefijo *Ah* se colocaba antes del nombre de cada niño varón; el prefijo *Ix* se usaba antes del nombre de cada niña. De aquí que cuando alguien mencionaba el nombre de una tercera persona, todos los mayas sabían en seguida si se hablaba de un hombre o de una mujer.

Así que el matrimonio quedó arreglado. —Cuando un maya piensa en el matrimonio —le dijo a Ah Tok su padre—, el padre de él debe tener buen cuidado de que la muchacha sea de buena familia y de buenas costumbres. Como se habría visto mal que Ah Tok, su padre o su madre hablaran a la muchacha o a su familia, se sirvieron de una casamentera.

La casamentera, que era una anciana, había comparecido ante la familia de la muchacha y les había hablado de las buenas cualidades de Ah Tok y de la buena reputación de que gozaba su familia. Una vez hecho esto, las dos familias se intercambiaron regalos. Se fijó una fecha para el matrimonio, pero...

Esta vez los castellanos habían regresado a la Isla de Cozumel con once barcos. El indio que llevó el mensaje a Tulum dijo que había llegado a contar hasta quinientos hombres en Cozumel... y que había muchos caballos. Esta vez no habían hecho la guerra a los indios. En cambio, su capitán, un hombre de baja estatura con una gran barba cuadrada, trataba a todos bondadosamente. Parecía conocer unas cuantas palabras de la lengua maya, y en esa forma pudo preguntar por los hombres blancos que los indios habían tomado cautivos.

El mensajero indio desenrolló de su pelo un trozo de papel en el cual había escritas una palabras. Constituían un mensaje que se le había pedido entregar a cualesquiera castellanos que encontrase.

Cuando el indio llegó a Tulum entregó el mensaje a Jerónimo de Aguilar. Llenos de curiosidad por saber lo que sucedía, muchos indios habían seguido al mensajero hasta que éste encontró a Jerónimo, quien trabajaba en la casa del gobernador de Tulum.

El español también había enviado un regalo de cuentas de vidrio juntamente con el mensaje. Para los mayas, que nunca antes habían visto el cristal, estas cuentas parecían ser de jade, el material que tanto estimaban.

Jerónimo tomó la carta y después contempló las cuentas de vidrio. Dio las cuentas a su amo, el señor de Tulum, quien pareció muy complacido de poseerlas. Después Jerónimo le pidió permiso para leer la carta. Sentándose, leyó a media voz:

"Nobles señores:

Habiendo partido de Cuba con una flota de once barcos y quinientos españoles, he llegado a Cozumel, lugar desde donde escribo esta carta. Los habitantes

107

de esta isla me han asegurado que hay en este país cinco o seis hombres barbados que son en todos sentidos como nosotros, pero no pueden darme ninguna otra descripción de ellos. Por lo que he oído, pienso y estoy seguro de que sois españoles. Yo y estos nobles que vienen conmigo a colonizar y descubrir estas tierras os rogamos atentamente vengáis a nosotros sin dilación ni excusas en el término de seis días a contar desde aquel en que reciban la presente. Si venís con nosotros, todos os reconoceremos y os agradeceremos los buenos servicios que esta flota recibirá de vosotros. Envío un bergantín a fin de que podáis venir con seguridad."

La carta estaba firmada por *Hernando Cortés*.

Una vez que Jerónimo terminó de leer esto, pidió permiso a su amo para visitar a su amigo Gonzalo, el *nacom* de Chetumal, y mostrarle la carta. Mientras el señor de Tulum consideraba si permitir o no a Jerónimo que fuera, otro mensajero llegó con una segunda nota. Ésta decía:

Caballeros y hermanos... Me he enterado de que estáis prisioneros en las manos de un cacique. He enviado soldados, barcos y un rescate... Apresuráos a venir y seréis bien venidos y protegidos. Yo estoy aquí en Cozumel con quinientos soldados y once barcos, en los cuales iré, si Dios lo permite, a una población llamada Chakampoton.

Como Jerónimo había sido un esclavo obediente y había ayudado a su amo a ganar batallas que éste había sostenido con otros jefes mayas, se le permitió ir. Después de un viaje de un día en canoa, hacia el sur, llegó a Chetumal. Allí fue recibido por Gonzalo, quien era ahora un *nacom* más poderoso que nunca, pues había derrotado a los enemigos en la batalla que tuvo lugar un año antes. No se habló nada de esto. En respuesta a la sugestión de Jerónimo de que los dos debían irse con Hernán Cortés, Gonzalo contestó:

—Hermano Aguilar, estoy casado, como tú sabes, y tengo tres hijos. Los indios me consideran como un *nacom*, o sea, capitán de la guerra.

Mírame. Tengo la cara tatuada y las orejas perforadas. ¿Qué dirían mis compatriotas cuando me vieran con este aspecto? Y además, mira qué hermosos hijos tengo. Pero tú puedes irte, y que Dios te acompañe.

La esposa de Gonzalo había estado escuchando esta conversación. Y aunque los hombres hablaban en español y ella no pudo entender lo que decían, se dio cuenta de la importancia de ella. En lengua maya dijo a su marido: —¿Qué derecho tiene este esclavo de presentarse ante ti, mi marido, y de hablarte? —Y volviéndose hacia el esclavo le dijo—. ¡Vete! Y no vuelvas a molestarnos más con esas tus extrañas palabras.

Jerónimo hizo como le ordenaron. Al volver a Tulum, obtuvo permiso de su amo para visitar a sus compatriotas. Consiguió una canoa y le dio un regalo a un indio para que lo llevara a remo a Cozumel. Ah Tok estaba allá con su padre, contemplando cómo la canoa desaparecía en las aguas broncas del mar abierto. De alguna manera se le ocurrió que aunque Jerónimo había sido un esclavo y ahora volvía con su gente, de todos modos algo tendría que ver con el futuro de los mayas. Cuando la canoa se perdió de vista, dijo: —Todo ha terminado.

"XUL": TODO HA TERMINADO

Y en esa forma terminó el sistema de vida maya. Cierto
que no acabó de una vez. En realidad, transcurrió mucho
tiempo antes de que terminara.

Porque aquellos once barcos y aquellos quinientos hombres navegaron lejos de Yucatán, y muchos pensaron que
era la última vez que alguien los vería.

Después tuvo lugar una batalla en Cintla, en la provincia de Tabasco, donde crecía el cacao. Tabasco estaba cerca del territorio mexicano. El capitán Cortés hizo desembarcar allí caballos, y cuando los indios se le echaron encima, ordenó la caballería en disposición de batalla. Murieron millares de indios. Los jefes supervivientes se rindieron y ofrecieron darle al capitán blanco todo lo que quisiera. Le entregaron sus mapas y sus matrículas de tributos,
donde aparecían las poblaciones que entregaban tributo a
otro gran jefe, un hombre llamado Moctezuma, que era el
emperador de México.

Los hombres blancos navegaron hacia el norte, en dirección del Imperio Azteca. Y los mayas se enteraron pronto,
porque las noticias viajan de prisa, de que Jerónimo, que
sólo era un esclavo er. Tulum, era ahora un gran hombre.

110

Montaba a caballo, vestía ropas finas y armadura de acero y cabalgaba al lado del capitán blanco Cortés.

Muchos de los señores mayas estaban contentos; no veían —según la expresión que usó el padre de Ah Tok— ni el jade que llevaban en las narices. Esto quería decir, por supuesto, que cerraban los ojos ante las cosas que iban a suceder a su alrededor. Estaban muy felices de librarse de los hombres blancos, que ahora lucharían contra los aztecas. Entonces ambos partidos, los españoles y los aztecas, se destruirían mutuamente. O por lo menos eso pensaban los mayas. Pensaban que se librarían de sus dos enemigos sin tener siquiera que luchar.

Después los mayas empezaron a luchar de nuevo entre sí. Peleaban por fruslerías que no valían la pena. Los señores mayas malgastaban sus fuerzas en lugar de armarse para salvarse.

Además, el hombre blanco había dejado tras de sí un enemigo que luchaba por él: la viruela. Uno de los marineros había traído la enfermedad, que contagió a los mayas. Los indios nunca habían tenido antes viruela, pero ahora la enfermedad se extendía como si fuera fuego por una pradera seca. Ningún curandero-brujo pudo evitarlo. Murieron miles de enfermos. Era tan terrible que los sacerdotes registraron el hecho en sus libros: "En el katún 2 Ahau fue cuando se presentaron las erupciones de la piel, fue el tiempo en que se presentaron las pústulas. Fue la *maya-cimil*." *Maya-cimil* significaba muerte pronta; los guerreros enfermos de viruela habrían preferido morir en la batalla en lugar de morir presas de la enfermedad.

Mientras tanto, los hombres blancos los dejaron en paz. Pero después, en 1521, llegó la terrible noticia de que los hombres blancos habían conquistado la capital azteca. Y Moctezuma, el gran emperador azteca, había muerto.

En 1524 Hernán Cortés regresó a Xicalango, en la provincia de Tabasco. Llegó con soldados, caballos y bufones. El antiguo esclavo maya, Jerónimo, que ahora era conocido como Jerónimo el intérprete, acompañaba a Cortés. El jefe español no había venido a guerrear contra los mayas, sino sólo para castigar a uno de sus propios solda-

111

dos. Este hombre había sido enviado por Cortés para colonizar Honduras, que está situada al sur de Yucatán. El enviado desobedeció sus órdenes y en cambio había instalado su propio gobierno.

Una vez más, los señores mayas pensaron que deberían ayudar a los blancos a fin de que ambos partidos se eliminaran mutuamente: Se le permitió a Hernán Cortés viajar por el territorio de los mayas. Ni un solo indio elevó la voz; ni uno solo levantó su lanza.

En 1527, ocho años después de la primera vez que el capitán Cortés visitó Yucatán, ocho años después de la partida de Jerónimo, que ya no volvió a ser esclavo, volvieron los españoles. En esta ocasión vinieron en son de guerra. Un capitán español, llamado Francisco de Montejo, desembarcó 380 hombres y 57 caballos en la población costera de Xelha. Después de matar a todos los mayas que encontró, bloqueó el camino *sacbé*. Ahora ya no podían venir guerreros del interior del país, como habían hecho antes, para combatir a los enemigos.

Pero todavía pelearon los mayas. En todos los lugares donde el hombre blanco puso el pie fue derrotado, y comenzaron a aparecer tumbas españolas en las playas de Yucatán.

De modo que los hombres blancos salieron de esta región y se dirigieron hacia el sur. Navegaron hasta la gran bahía de Zamabac, en la provincia de Chetumal.

Una vez allí, se pusieron en contacto con Gonzalo, el *nacom*. En contestación, él les escribió, pretendiendo hacerlos creer que era todavía un cautivo. Vayan a tales y cuales lugares, decían sus cartas; allí no hay indios. Bajo la impresión de que Gonzalo los ayudaba, fueron a un lugar situado cerca del mar. Allí había ocultado Gonzalo a sus guerreros, y los hombres blancos sufrieron una derrota tan completa que todos huyeron y en 1535 ya no había un solo blanco en todo Yucatán.

Los blancos se fueron hacia Honduras. Allí, en la tierra caliente, había ríos y crecía el cacao: allí tenían los mayas estaciones comerciales. Los españoles se apoderaron fácilmente de ellas e iniciaron su conquista. Pero tan pronto como se enteró de ello Gonzalo, acudió con una gran flota de canoas, y con mil guerreros navegó hacia el sur, para prestar auxilio a los indios.

Fue en abril de 1535. Los españoles habían construido un fuerte de troncos y trataban de defenderse del ataque que dirigía Gonzalo. Uno de los soldados españoles pudo identificar a Gonzalo entre el grupo de guerreros indios, pues todos parecían de color bronceado y eran muy ruidosos. El español tomó puntería y disparó: la bala arrancó del tronco la cabeza de Gonzalo.

Los españoles asumieron la iniciativa de la batalla y los indios resistieron fieramente. El capitán Montejo, viejo y lleno de cicatrices, cejó y los mayas pensaron que esto era el fin de las guerras. Pero no fue así. El hijo de Montejo, que también era capitán, continuó la lucha en el lugar donde la interrumpió su padre.

El año de 1542 fue terrible, pues una batalla sucedía a la otra. Los españoles mataban a todos los mayas que veían; los mayas mataban a cuanto español caía en sus manos. Se descuidaron la ciudades. Plantas y hasta árboles comenzaron a crecer encima de los templos. La hierba invadió los caminos y muchos de los campos de maíz ya no se sembraron. Los ancianos se quejaban de que los jóvenes no pensaban más que en luchar. Los comerciantes se quejaban de que ya nadie se preocupaba del comercio, como había sido antes. La gente observaba todavía su sistema propio de vida, pero ya no pudieron hacer nada en paz. Nadie sabía cuándo se presentarían los españoles, ni de dónde vendrían, jinetes en aquellos terribles y bufadores caballos, para destruir a todos los mayas.

Así continuó todo ese terrible año; por todo el territorio los jefes se rendían; los guerreros volvían sus escudos hacia la espalda y arrastraban sus lanzas. Cada mes que transcurría una nueva ciudad maya se entregaba a los conquistadores.

Para 1546 todo había terminado. T'iho, situada cerca de Chichén Itzá, era una gran ciudad llena de edificios. Un día, el capitán Montejo avanzó hacia la ciudad portando una gran bandera de color rojo y oro, la bandera de

113

España, con sus leones de León y sus castillos de Castilla pintados en ella.

Tomó posesión de T'iho y de toda la tierra situada en sus alrededores, en nombre del rey. Dijo que haría de esta ciudad su capital, y le dio el nombre de Mérida. Escogió este nombre porque en España había una ciudad que llevaba el mismo nombre. Esa ciudad había sido ocupada por los romanos y, como T'iho, tenía muchos edificios de piedra blanca.

Los soldados españoles comenzaron a derribar los templos mayas para construir casas en que vivir. Pronto la ciudad tenía iglesias y construcciones, y los indios se diseminaron mucho en una gran porción del territorio. Ambos lados habían luchado por lo que creían justo. Los españoles creían en verdad que su misión consistía en llevar su sistema de vida y su religión a los mayas. El deber de los mayas era resistir, y lo hicieron con gran tenacidad hasta el final mismo.

Pero ahora había llegado a su término la vida de una gran cultura. Los españoles no habrían de permitir que los mayas volvieran a sus antiguas ciudades. Temerosos de que los indios volvieran a observar su antigua religión e

hicieran de nuevo la guerra, los españoles los hicieron colonizar lugares nuevos.

Ahora los mayas ya no construyeron las grandes pirámides; tampoco hicieron aquellos caminos tan blancos y relucientes. Ya no usaron más sus tocados de plumas maravillosamente largas ni sus trajes de plumas. Los sacerdotes desaparecieron o murieron. Algunos se ocuparon de escribir en sus libros para conservar vivo el recuerdo de su historia, pero tenían que hacerlo a escondidas. Un día, cuando los españoles se dieron cuenta de que los indios consultaban todavía sus antiguos libros, los juntaron todos. En la ciudad de Maní hicieron una gran hoguera y uno por uno quemaron los antiguos libros. Cuando esto tenía lugar, todo el pueblo se lamentó en voz alta. La antigua cultura estaba muerta.

Pero una parte de esta cultura todavía estaba viva. Lejos, en lo profundo del interior del país estaba El Petén, lugar donde había un gran lago y selva espesa. Y en ese lugar una tribu de los mayas —los itzaes— conservaba su antiguo sistema de vida.

Una tribu de itzaes había vivido en Mayapán, la capital de los mayas cuando fue destruida durante la guerra civil. Dándose cuenta de que no podría reconstruirse la ciudad, decidieron abandonarla. Una noche, después de que los sacerdotes recogieron sus antiguos libros, miles de itzaes abandonaron la ciudad y marcharon durante diez días a través de pantanos y por el interior de la selva. Finalmente llegaron a las orillas del lago Petén, rodeado por una selva llena de ruinas de antiguas ciudades mayas. En las cercanías estaba Tikal, la ciudad más grande de todas.

Corría el año de 1460 cuando los itzaes comenzaron a construir su ciudad sobre una isla dentro del lago Petén. Cultivaron la tierra de los alrededores del lago y construyeron templos. Allí continuaron practicando su religión y el sistema de vida maya. En 1502, cuando los españoles llegaron por primera vez a Yucatán, los itzaes lo supieron. Y cuando volvieron en 1517 también se enteraron los itzaes. Pero los ancianos de la tribu pensaban que si ellos no iban a la guerra sino que se quedaban donde estaban, ningún

115

hombre blanco podría encontrarlos. Después de todo, contaban con las selvas para que los protegieran. Aun cuando supieron que todas las ciudades mayas estaban cayendo en poder de los españoles, ellos no hicieron nada.

Después terminó la guerra. Los guerreros de Yucatán se convirtieron en esclavos, y los que pudieron escapar se fueron al Petén. En esa forma los españoles descubrieron que había todavía otra tribu maya viva y con toda su fuerza.

Durante años los españoles trataron de conquistarla. Una vez algunos hombres blancos llegaron hasta la ciudad, y vieron pirámides y templos tal como los que había en Yucatán. El señor maya era muy amistoso y los invitó a pasar al interior de la ciudad. Entonces, una vez que todos estuvieron adentro, se hizo oír una señal y sus guerreros los rodearon. A la mañana siguiente sus corazones fueron ofrendados al dios sol.

Ciento cincuenta años después de que los mayas de Yucatán rindieron sus ciudades ante los invasores, los itzaes vivían todavía según el antiguo sistema de vida.

Pero todas las cosas tienen un término. En 1697, una poderosa fuerza de españoles llegó hasta el lago. Tuvo lugar una breve batalla. Los mayas huyeron o fueron muertos. Y éste fue en realidad el final de la cultura maya.

UNA CUESTIÓN HISTÓRICA

Cuando se lee una recreación de la historia siempre es útil saber qué es real y qué ha sido inventado por el autor. En este libro el único elemento de ficción es el situar a Ah Tok en un lugar y un tiempo específicos. Muchos chicos como Ah Tok vivieron efectivamente entre los mayas, y además llevaron ese mismo nombre. El resto de *Los mayas, la tierra del faisán y del venado* se basa en documentos que han conocido y utilizado los especialistas desde hace muchos años.

Jerónimo de Aguilar y Gonzalo Guerrero fueron hombres reales, y ésta es su historia. En 1511 un capitán español llamado Valdivia navegaba en su barco de Panamá a la isla de Santo Domingo, situada en el Caribe. Llevaba a bordo una tripulación de cuarenta hombres y un tesoro de veinte mil ducados de oro. Cuando el barco se aproximaba a Jamaica, donde hay unos bajos llamados *Las víboras*, chocó con un arrecife oculto y se hundió. Veinte hombres pudieron escapar en un pequeño bote que no tenía velas, agua ni alimentos. La mitad de los hombres

117

murieron en los primeros días; después el bote, navegando a la deriva, fue a dar a la isla de Cozumel.

Esta isla, situada a dieciséis kilómetros de la costa oriental de Yucatán, era un lugar sagrado a donde los mayas hacían peregrinaciones. De los diez supervivientes, cuatro, incluyendo al capitán Valdivia, fueron sacrificados. Todos los demás murieron presa de enfermedades salvo Jerónimo de Aguilar y Gonzalo Guerrero. Fueron hechos esclavos y pasaron a ser propiedad del señor maya de Tulum. Gonzalo Guerrero se adaptó rápidamente a una de las tribus mayas, se casó con una mujer maya y adoptó los vestidos y las costumbres del país. Se convirtió en un *nacom*, o jefe de la guerra. Jerónimo de Aguilar, que había estudiado para el sacerdocio y que era de naturaleza más pacífica, se convirtió en un esclavo dócil, pero mantuvo fresco el recuerdo de su tierra mediante la lectura de un breviario. Valiéndose de este libro religioso pudo mantener huellas del paso del tiempo y de las ocasiones en que se celebraban las fiestas cristianas.

En febrero de 1519 Hernán Cortés llegó a México con quinientos hombres y once barcos. En Campeche, hacia el norte, oyó que los indios pronunciaban las palabras "castellano, castellano". Fue entonces cuando escribió la carta que se cita en este libro. Después de eso Jerónimo de Aguilar fue llevado ante Cortés, se le dieron ropas y formó parte de la expedición que partió para la conquista de México.

Cortés se encaminó hacia Tabasco, la provincia situada hacia el extremo noroeste del territorio maya. Allí tuvo lugar una batalla y Cortés derrotó a los indios; éstos pidieron la paz y le llevaron como regalo a una muchacha india muy atractiva cuyo nombre era Malinal. Ella había nacido en Paynala, situada a cuarenta kilómetros de la ciudad costera de Coatzacoalcos. Como su padre murió cuando ella era todavía muy joven, fue dada como esclava a uno de los jefes de Tabasco. Así que cuando Tabasco fue conquistado, ella le fue entregada a Cortés. Malinal, o doña Marina, como la llamaron los españoles, hablaba tanto azteca como maya, y Jerónimo de Aguilar hablaba el maya y el español. El conquistador Cortés podía dirigirse a Jerónimo en español, quien después traducía sus palabras al maya, y Marina traducía las palabras mayas a la lengua azteca. De esta manera pudo Cortés transmitir sus planes y sus ideas, y se preparó la conquista de México a través de esta triple cascada de traducciones.

Nadie sabe lo que el destino deparó al final a Jerónimo de Aguilar. Sin embargo, en los archivos de Sevilla, España, existe un documento que dice: *Información de los servicios y bien habidos méritos de Jerónimo de Aguilar y de otras personas de su familia*. Muchos de los que tomaron parte en la conquista de los mayas o que escribieron sobre ella mencionan la historia de Jerónimo. El más conocido es el de la *Crónica de la Nueva España*, de Francisco Cervantes de Salazar (Libro segundo, capítulos XXV-XXXIX, pp. 110-122, Madrid, 1914).

La exposición del ritual *emku* se basa totalmente en la que aparece en la edición que A. M. Tozzer hizo de la *Relación de las cosas de Yucatán* (Peabody Museum, Volumen XVIII, Cambridge, Mass., 1941).

V. W. VON H.

CUADRO CRONOLOGICO

A. C.	MUNDO MAYA	RESTO DE AMERICA	RESTO DEL MUNDO
350-1 D. C.	Surge la civilización maya, 350 a. c.-300 d. c Desarrollo de la astronomía; invención del calendario y de la escritura.		Alejandro Magno, 356-323, conquista Asia hasta la India (Imperio Macedonio). Declina la civilización griega.
1-700	Se extiende la cultura maya: periodo de prosperidad, 300-700. Se construyen grandes ciudades; registros calendáricos en piedra; Tulum, 433; Chichén Itzá, 452. Centro intelectual en Copán.		El Imperio Romano alcanza su mayor extensión, 116. División del Imperio Romano en Oriental (Bizancio) y Occidental (Roma), 395. Edades de oro en India y China. Comienza el Imperio Árabe, 632.
700-800	La población maya llega a tres millones de habitantes.		La derrota de los musulmanes en Poitiers, 732, detiene la expansión árabe en Europa.
800-900	La sequía causa gran mortandad; se abandonan las ciudades en Yucatán, 890. Los mayas vuelven a ocupar las ciudades costeras. Se hacen libros de papel.		Carlomagno, emperador del Sacro Imperio Romano. Los comerciantes árabes unen Oriente y Occidente.
900-1000	Los mexicanos, con Serpiente Emplumada, ocupan Chichén Itzá: 897; Kukulkán (Serpiente Emplumada) es proclamado gobernante y dios: logra la unidad y la paz, 987-1017.		Córdoba, bajo dominio árabe, es el principal centro intelectual de Europa.
1000-1100	Desarrollo arquitectónico de Chichén Itzá: templos; la gran pirámide; el juego de pelota. Se funda Mayapán; Kukulkán vuelve a México, 1017.		Cruzadas a Tierra Santa, 1096-1270.

1100-1200	Destrucción de Chichén Itzá; Mayapán es la nueva capital. Principia el Imperio Inca: 1150. Migraciones aztecas, 1168.
1200-1300	La Carta Magna en Inglaterra, 1215. Se funda el Imperio Otomano (Turco), 1288.
1300-1400	Los turcos otomanos invaden Europa. China: Dinastía Ming.
1400-1500	Se funda Tenochtitlán en el lago de Texcoco. El Renacimiento. Invención de la imprenta, 1439. Destrucción de Mayapán, 1441. Luchas entre los estados tribales; declina la civilización maya. Fin del Imperio Bizantino, 1453. Los itzaes se establecen en Petén, 1460. Apogeo de las civilizaciones aztecas e incas. Colón descubre América, 1492.
1500-1600	Los comerciantes mayas encuentran a los primeros hombres blancos, 1502. Viaje de Magallanes alrededor del mundo, 1519-1522. Los primeros blancos llegan a la costa maya, 1511. Los españoles conquistan a los mayas, 1527-1546. Se destruyen los templos; los indios son obligados a hacer nuevas colonizaciones. Exploración y conquista del Caribe y Norte de América del Sur. Cortés conquista México, 1519-1521. Pizarro conquista Perú, 1531-1535.
1600-1700	Los itzaes son dominados en Petén, 1697. La Reforma.

BIBLIOGRAFIA

Barrera Vásquez, Alfredo, *Recopilación de cuentos mayas*, México, Robredo.

Landa, Diego de, *Relación de las cosas de Yucatán*. México, Porrúa Hnos.

León Portilla, Miguel, *El reverso de la Conquista*, México, Editorial Joaquín Mortiz, 1964.

Libro de los libros de Chilam Balam, México, Fondo de Cultura Económica, 1963.

Morley, S. G., *La civilización maya*, México, Fondo de Cultura Económica, 1947.

Popol Vuh, las antiguas historias del quiché, México, Fondo de Cultura Económica, 1963.

Rabinal Achí (Teatro indígena prehispánico). México, UNAM, 1955

Ruz Lhuiller, Alberto, *La civilización de los antiguos mayas*, México, Instituto Nacional de Antropología e Historia, 1963.

Sejourné, L., *Palenque, una ciudad maya*, México, Fondo de Cultura Económica, 1952.

Sodi M., Demetrio, *La literatura de los mayas*, México, Editorial Joaquín Mortiz, 1964.

Thompson, E. S., *Grandeza y decadencia de los mayas*, México, Fondo de Cultura Económica, 1964.

Wolf, Eric, *Pueblos y culturas de México y Guatemala*, México, Era, 1966.

INDICE ANALITICO

123

IMPRESO Y HECHO EN MÉXICO-PRINTED AND MADE IN MEXICO
Litoarte S. de R.L.
Ferrocarril de Cuernavaca 683
México 17, D.F.
Reimpresión de 5000 ejemplares
y sobrantes para reposición
7-IV-1981